D1546138

500

recettes indiennes

500 recettes indiennes

Meena Agarwal

Direction éditoriale : Donna Gregory
Éditeur : Mark Searle
Direction artistique : Michael Charles
Photographies : Ian Garlick
Consultante spécialisée : Fern Green

Première édition en 2012 par Sellers Publishing, Inc
161 John Roberts Road, South Portland, Maine 04106
Sous le titre *500 Indian Dishes*

Adaptation et réalisation : MediaSarbacane
Traduction : Hanna Agostini

Les Éditions Publistar
Groupe Librex inc.
Une société de Québecor Média
La Tourelle
1055, boul. René-Lévesque Est
Bureau 800
Montréal (Québec) H2L 4S5
Tél. : 514 849-5259
Téléc. : 514 849-1388
www.edpublistar.com

Dépôt légal – Bibliothèque et Archives nationales du Québec
et Bibliothèque et Archives Canada, 2013

ISBN : 978-2-89562-509-4

Imprimé en Chine.

Sommaire

Introduction

La diversité de la population de l'Inde a pour corollaire la variété de sa gastronomie. Si vous traversez le pays du nord au sud, vous découvrirez qu'il propose autant de cuisines qu'il compte d'États, de provinces et de villes. En outre, chaque famille cultive ses propres recettes, si bien qu'un plat aussi simple que la soupe de lentilles donne lieu à une foule de variantes.

En Inde, le samedi soir est souvent consacré aux réceptions, caractérisées par l'abondance de mets plus savoureux les uns que les autres. Les Indiens aiment ainsi montrer leur sens de l'hospitalité. La nourriture tient une place majeure dans leur vie quotidienne, et aucune cérémonie ne peut s'envisager sans un repas pantagruélique, avec une succession de plats digne d'un banquet royal. D'ailleurs, les Indiens qui vous font l'honneur d'une visite de leur maison éprouvent une fierté particulière à vous montrer leur cuisine.

Cependant, la nourriture n'est pas confinée au cercle familial et à la maisonnée. Quiconque a déambulé dans les grandes villes indiennes – Delhi, Mumbai ou Bangalore – sait qu'il est de coutume, en soirée, de s'arrêter aux divers stands installés à chaque coin de rue, pour y déguster des plats tentants dont les vendeurs ambulants vantent haut et fort les mérites. Chaque préparation – agrémentée de chutneys épicés et relevés, de yogourt et d'autres accompagnements – est l'occasion d'une expérience gustative unique.

Cet ouvrage vous permettra de reproduire, avec des ingrédients et du matériel disponibles en Europe, les saveurs et les textures de différents mets indiens, qu'il s'agisse des savoureux pakoras, des délicieux currys ou encore des innombrables accompagnements, tous des plus alléchants. Vous serez étonné de la facilité et du bonheur avec lesquels vous voyagerez... autour de votre cuisine.

Curry de poulet grand-mère, p. 88

Un plat indien réussi repose sur une bonne association d'épices

Ingrédients

La plupart des ingrédients utilisés dans la cuisine indienne sont disponibles dans les épiceries exotiques, voire dans les grands supermarchés disposant d'un rayon spécialisé. Certains produits sont plus difficiles à trouver, mais peuvent être remplacés par d'autres, d'usage plus courant.

Épices

Si vous n'êtes pas familier de la cuisine indienne et que votre réserve à épices exotiques se limite à de la poudre de curry, pas de panique : il n'est pas nécessaire de vous ruiner en achats, les cinq produits de base suivants vous permettent de concocter de délicieux petits plats fleurant bon le pays des maharadjahs.

Coriandre : très courante dans la gastronomie indienne, la coriandre adoucit les currys et exalte les arômes plus soutenus d'autres ingrédients. Elle est généralement utilisée moulue.

Cumin : essentiellement utilisé dans la cuisine de l'Inde du Nord, le cumin est prisé pour ses très caractéristiques arômes corsés et ses douces senteurs fumées. Il existe sous forme de graines ou en poudre.

Curcuma : c'est à lui que de nombreux plats indiens doivent leur belle couleur jaune. Cette épice est aussi connue pour ses propriétés médicinales : en Asie, elle a la réputation d'apaiser les maux d'estomac et les troubles hépatiques, et elle contribue également, en usage externe, à soigner les plaies et les hématomes. Elle est le plus souvent vendue sous forme de poudre.

Garam masala : cette poudre odorante, constituée d'un mélange d'épices, est généralement composée de cumin, de graines de fenouil, de coriandre, de cardamome, de cannelle, de girofle,

Les lentilles sont à la base de nombreuses spécialités indiennes

de poivre et de piment rouge. On l'incorpore aux préparations en fin de cuisson, afin qu'elle conserve ses arômes. Chaque famille indienne a sa propre recette de garam masala.

Piment rouge indien en poudre : composé de piments rouges secs broyés, il est plus fort que ses homologues européens.

Lorsque vous vous serez familiarisé avec les produits décrits, vous pourrez vous aventurer à en utiliser d'autres, comme l'amchur (poudre de mangue), le chaat masala, les feuilles de curry, le kasoori methi (feuilles de fenugrec séchées) ou la poudre de sambhar. Chacune de ces épices vous permettra de confectionner des préparations d'une richesse aromatique inégalée.

Les lentilles

Il existe plusieurs sortes de lentilles, de taille, de forme et de couleur différentes. Chacune est unique du point de vue du goût et de la texture, et a un temps de cuisson différent de celui des autres. Les lentilles sont relativement faciles à préparer, et leur grande diversité permet de varier les repas. Les plus courantes sont les suivantes :

Arhar dal (lentille jaune) : d'un jaune terne, les lentilles jaunes constituent l'ingrédient de base de certaines spécialités de l'Inde du Sud, comme le sambhar. Laissez-les tremper plusieurs heures avant de les cuire. N'hésitez pas à les faire mijoter longuement, de façon qu'elles soient tendres. Même si une casserole classique fait parfaitement l'affaire, privilégiez l'autocuiseur pour la cuisson des lentilles jaunes. Vous gagnerez un temps considérable.

Chana dal (pois cassé) : évoquant des moitiés de pois chiches, en taille réduite, ces pois sont, de tous les légumes secs, les plus longs à cuire. Il est donc préférable de les préparer dans un autocuiseur. Ils constituent l'ingrédient de base de nombreuses spécialités et sont très appréciés dans les dîners.

Masoor dal (lentille corail) : c'est la variété la plus communément utilisée et celle qui cuit le plus rapidement. En outre, les lentilles corail ne requièrent pas de trempage préalable. Elles conviennent donc parfaitement si vous n'avez que peu de temps à consacrer à la préparation du repas. Elles figurent au menu quotidien de nombreuses familles indiennes.

Moong dal (lentille verte) : ces lentilles se distinguent de celles présentées précédemment par leur couleur – verte – et leur forme – évoquant un haricot. On les utilise rarement dans la cuisine quotidienne, mais elles constituent l'ingrédient principal d'un dessert très apprécié (le moong dal halwa). En Europe, les moong dal sont également appelés haricots mungo.

Autres ingrédients

Farine de pois chiches (besan) : cette farine très fine, à base de pois chiches moulus, peut être remplacée par de la farine classique, mais la saveur de la préparation ne sera pas la même.

Farine instantanée pour dosas : le dosa est une sorte de crêpe à base de fécule de riz et de farine de lentilles ou de pois chiches. La farine instantanée pour dosas contient tous les ingrédients permettant de réaliser ces crêpes ; il suffit d'y ajouter de l'eau.

Huile : l'huile est utilisée dans la plupart des recettes présentées dans cet ouvrage. Utilisez l'huile que vous préférez, mais il vaut mieux, dans la mesure du possible, privilégier l'huile de maïs ou l'huile de canola, plus légères. En Inde, les préparations seront plutôt réalisées avec du beurre clarifié, ou « ghee », mais l'huile est un ingrédient plus sain.

Paneer Masala, page 166

Paneer : ce fromage doux indien, employé dans de nombreuses préparations, remplace souvent la viande dans les currys végétariens. On peut éventuellement lui substituer du tofu ferme.

Tamarin : ce fruit est l'ingrédient de base d'un délicieux chutney (recette p. 269).

Yogourt : souvent utilisé dans la cuisine indienne, le yogourt constitue l'ingrédient principal de nombreuses marinades. Il attendrit la viande et apporte aux préparations une saveur inimitable. Pour réaliser les recettes que nous vous proposons dans cet ouvrage, vous pouvez utiliser indifféremment du yogourt nature entier ou allégé.

Desserts

Alors qu'un repas indien peut être concocté par des cuisiniers novices, les desserts indiens traditionnels relèvent d'un tout autre registre. La plupart sont à base de lait et se prêtent bien à la réalisation de grandes quantités. Cependant, ils sont très difficiles à réussir et requièrent un temps de préparation que peu de gens voudront bien y consacrer. Même les Indiens ne font pratiquement jamais de desserts maison et s'en procurent dans des magasins spécialisés.

Si vous souhaitez faire un repas indien de l'entrée au dessert, rendez-vous chez un bon traiteur indien – il y en a dans la plupart des grandes villes –, où vous aurez l'embarras du choix entre un grand nombre de délicieux gâteaux au décor sophistiqué. Essayez le barfi, gâteau crémeux très parfumé à base de lait concentré et souvent orné de feuilles d'argent, ou encore le jalebi, sorte de serpentin en pâte à beignet imprégné de sirop – pour ne mentionner que ces deux-là.

Rien ne vous empêche, pour rester dans l'air du temps, d'apporter une touche exotique à un dessert classique. Agrémentez ainsi un traditionnel gâteau de riz de cardamome, de noix de cajou et de raisins secs, ou une salade de fruits de lait de coco ou d'un sirop au safran. Le nec plus ultra consiste à proposer à vos invités, avec le café, des truffes au chocolat noir parfumées au piment rouge et à la cardamome, et enrobées d'amandes effilées.

La salade de fruits au lait de coco, un dessert aux accents de la cuisine indienne

Amuse-bouches, entrées et en-cas

La cuisine indienne propose des préparations aussi savoureuses que parfumées, tout particulièrement quand il s'agit d'ouvrir l'appétit. Vos hôtes s'en délecteront à coup sûr !

Croquettes de poisson

Pour 4 personnes

Ces croquettes de poisson, saines et légères, sont délicieuses telles quelles ; vous pouvez toutefois, si vous le souhaitez, les accompagner de crème ou de mayonnaise.

450 g (1 lb) de filets de poisson blanc à chair ferme
1 grosse pomme de terre, bouillie et écrasée
2 c. à s. d'oignon, finement émincé
2 c. à s. de feuilles de coriandre fraîche, finement ciselées
2 c. à s. de jus de citron frais
2 c. à s. de chapelure
½ c. à t. de piment rouge en poudre
¼ de c. à t. de curcuma en poudre
½ c. à t. de cumin en poudre
Sel, au goût
Huile

Découpez le poisson en très petits dés. Ajoutez-y tous les autres ingrédients, hormis l'huile, et mélangez soigneusement. Répartissez l'appareil en 8 parts égales. Façonnez chaque part en forme de croquette.

Dans une poêle antiadhésive, faites chauffer 2 à 3 c. à s. d'huile. Mettez-y les croquettes à revenir ; elles doivent être uniformément dorées. Si nécessaire, rajoutez un peu d'huile dans la poêle en cours de cuisson. Faites revenir les croquettes par lots de 3 ou 4, pour ne pas surcharger la poêle. Servez-les chaudes ou tièdes.

Voir variantes p. 45

Boulettes de viande au garam masala

Pour 6 personnes

Quand vous manquez de temps, cette préparation en forme de steaks, pour garnir des pains à hamburgers légèrement grillés, vous sauve la mise Surtout si vous l'accompagnez d'une salade et d'un chutney.

450 g (1 lb) de poulet haché
1 œuf battu
½ c. à t. de piment rouge en poudre
½ c. à t. de garam masala
½ c. à t. de gingembre haché
½ c. à t. d'ail émincé
2 c. à s. de chapelure
Sel, au goût
Huile

Dans un grand saladier, mélangez tous les ingrédients, sauf l'huile. Façonnez la pâte ainsi obtenue en petites boulettes.

Dans une grande poêle, faites chauffer un peu d'huile et mettez-y les boulettes à frire ; elles doivent être uniformément dorées et cuites à cœur.

Disposez-les sur du papier absorbant pour les débarrasser d'un éventuel excès de gras. Servez-les tièdes.

Voir variantes p. 46

Gobi manchurian

Pour 6 personnes

Très prisés en Inde, ces beignets de chou-fleur à l'indochinoise se vendent à chaque coin de rue, à travers tout le pays. Les cuisiniers les préparent sur-le-champ, à la demande. Les regarder opérer donne un avant-goût de l'inoubliable expérience gustative à venir.

60 g (1/2 tasse) de fécule de riz
60 g (1/2 tasse) de fécule de maïs
1/4 de c. à t. de piment rouge en poudre
1/4 de c. à t. d'ail semoule
 ou 1 c. à t. d'ail frais, finement émincé
12 cl (1/2 tasse) d'eau
Huile
1 chou-fleur moyen, en fleurettes
1 c. à s. de gingembre, finement émincé
1 c. à s. d'ail, finement émincé
1 c. à s. de piments verts non épépinés,
 finement émincés
1 oignon moyen, finement émincé
1/4 de c. à t. de poivre blanc moulu
Sel, au goût
2 c. à s. de sauce soya
2 c. à s. de sauce pimentée à l'ail
2 c. à s. de ketchup
60 cl (2 2/3 tasses) d'eau
Oignons verts, finement émincés
Feuilles de coriandre fraîche, finement ciselées

Dans un grand saladier, mélangez les deux fécules, le piment rouge et l'ail. Ajoutez l'eau et travaillez à l'aide d'une fourchette jusqu'à obtention d'une pâte suffisamment épaisse pour enrober les fleurettes de chou-fleur.

Dans une grande poêle bien profonde, faites chauffer une bonne quantité d'huile. Plongez les fleurettes de chou-fleur dans la pâte, en prenant soin de bien les en enrober, puis faites-les revenir dans l'huile chaude ; les beignets doivent être dorés et croquants. Égouttez-les soigneusement pour les débarrasser d'un éventuel excès de gras. Réservez.

Dans un wok ou une grande poêle, faites chauffer 2 c. à s. d'huile. Mettez-y le gingembre, l'ail et les piments verts à revenir quelques minutes. Dès que le mélange est odorant, ajoutez-y l'oignon, le poivre et le sel. Faites revenir quelques instants ; les oignons doivent être tendres.

Incorporez ensuite la sauce soya, la sauce pimentée et le ketchup. Mouillez avec l'eau et portez le tout à ébullition jusqu'à épaississement.

Ajoutez les beignets de chou-fleur et remuez de façon à bien les enrober de sauce. Parsemez la préparation d'oignons verts émincés et de coriandre ciselée.

Voir variantes p. 47

Pommes de terre aux épices

Pour 6 personnes

Ces délicieuses pommes de terre à l'indienne se servent à l'apéritif, mais peuvent aussi remplacer avantageusement le riz en accompagnement de currys ou même d'un poulet ou d'un gigot d'agneau rôtis.

1/2 c. à t. de piment rouge en poudre
1/2 c. à t. de coriandre en poudre
1/2 c. à t. de cumin en poudre
1/4 de c. à t. de garam masala
1/4 de c. à t. d'amchur
2 c. à s. d'huile
Sel, au goût
6 pommes de terre moyennes, avec leur peau, coupées en 8 morceaux chacune

Préchauffez le four à 400 °F (200 °C).

Dans un grand saladier, versez toutes les épices, l'huile et le sel. Ajoutez-y les pommes de terre en morceaux et remuez pour bien les enrober du mélange.

Disposez les pommes de terre sur une plaque de cuisson, en les étalant de façon à éviter tout chevauchement. Enfournez-les pour 20 à 25 min, en les retournant après 10 min de cuisson. Elles doivent être croustillantes à l'extérieur et cuites à cœur.

Voir variantes p. 48

Pakoras de paneer à la coriandre

Pour 4 personnes

En règle générale, les pakoras remportent un franc succès. Si vous souhaitez y goûter, veillez à vous en réserver un ou deux avant de proposer le plat à vos invités !

85 g (3 oz) de coriandre fraîche, finement ciselée
1 gousse d'ail
1 piment vert, non épépiné
1 pincée de sel
225 g (8 oz) de paneer, en tranches de 5 cm (2 po) de long et de 1 cm (3/8 po) d'épaisseur
120 g (4/5 tasse) de besan
1/4 de c. à t. de piment rouge en poudre
1/4 de c. à t. d'amchur
1 c. à t. de graines de fenouil
Sel, au goût
2 c. à s. d'eau
Huile

Dans le bol d'un robot électrique, mettez la coriandre, l'ail, le piment vert, le sel et un peu d'eau. Mixez le tout jusqu'à obtention d'une pâte épaisse et lisse.
Garnissez une tranche de fromage de ce mélange et recouvrez-la d'une deuxième tranche de fromage, pour faire un sandwich. Répétez l'opération jusqu'à épuisement du paneer.
Dans un saladier, mélangez la farine de pois chiches, le piment rouge, l'amchur, les graines de fenouil, le sel et l'eau, jusqu'à obtention d'un ensemble ayant la consistance d'une pâte à crêpes. Dans une grande poêle, faites chauffer un peu d'huile. Plongez chaque pakora dans la pâte, en prenant soin de bien l'en enrober, puis faites-le frire dans l'huile chaude. Répétez l'opération pour tous les « sandwichs ». Égouttez-les soigneusement pour les débarrasser d'un éventuel excès de gras avant de servir.

Voir variantes p. 49

Samossas

Pour 6 personnes

Ces délicieux samossas aux légumes font une entrée de choix. Mais, pour un dîner improvisé, vous pouvez les accompagner de riz et d'une bonne salade.

400 g (3 tasses) de farine blanche
1 c. à t. de sel
4 c. à s. d'huile
1 c. à t. de graines de cumin
1 c. à t. de graines de coriandre
1 petit oignon, finement émincé
½ c. à t. de piment rouge en poudre
¼ de c. à t. de curcuma en poudre
1 c. à t. de coriandre moulue
½ c. à t. de garam masala
Sel, au goût
3 pommes de terre moyennes, bouillies et coupées en très petits dés
85 g (⅔ tasse) de petits pois surgelés
2 c. à s. de feuilles de coriandre fraîche, finement ciselées + un peu pour la garniture
Huile

Pétrissez la farine, le sel et 2 c. à s. d'huile jusqu'à obtention d'une pâte lisse et souple. Façonnez celle-ci en petites boules de la taille d'une balle de golf. Recouvrez le tout d'un torchon humide et réservez 15 à 20 min.

Dans un wok, faites chauffer le reste d'huile et mettez-y les graines de cumin et de coriandre à revenir. Dès que les épices commencent à crépiter, ajoutez-y l'oignon. Lorsque celui-ci est tendre, incorporez le piment et le curcuma, la coriandre moulue, le garam masala et le sel. Après quelques secondes de cuisson, ajoutez les pommes de terre et les petits pois. Laissez mijoter quelques instants, afin que toutes les saveurs se fondent, en remuant de temps à autre. Ajoutez la coriandre fraîche et remuez de nouveau. Laissez refroidir à température ambiante.

Voir variantes p. 50

Abaissez les petites boules de pâte en disques de ½ cm (3/16 po) d'épaisseur et découpez chaque cercle en deux. Roulez chaque demi-cercle à partir d'une de ses extrémités de manière à former un cône. Pincez légèrement le bout pointu entre vos doigts pour le sceller.

Garnissez le cône de la farce à la pomme de terre et aux petits pois. Refermez-le avec soin et aplatissez-le en triangle. Répétez l'opération avec les autres boules de pâte et le reste de farce. Faites frire les samossas dans de l'huile bien chaude ; ils doivent être uniformément dorés. Parsemez-les de coriandre ciselée avant de servir.

Pakoras de poisson

Pour 6 personnes

Pour réaliser cette recette, privilégiez un poisson au goût plutôt neutre, qui n'éclipsera pas la saveur de la pâte à beignets.

260 g (2 tasses) de besan
1/4 de c. à t. de piment rouge en poudre
1/4 de c. à t. d'amchur
1/2 c. à t. de garam masala
1 c. à t. de graines de fenouil
Sel, au goût
Huile
450 g (1 lb) de filets de poisson blanc à chair ferme, coupés en dés de 2,5 cm (1 po)

Dans un grand saladier, mélangez tous les ingrédients, sauf le poisson et l'huile, avec de l'eau, de manière à obtenir un ensemble lisse évoquant une pâte à crêpes.

Dans une poêle assez profonde, faites chauffer l'huile. Plongez les morceaux de poisson dans la pâte, en veillant à les en enrober uniformément, puis faites-les frire dans l'huile bien chaude. Au sortir de la poêle, disposez les pakoras sur du papier absorbant pour éponger un éventuel excès de gras. Servez-les tièdes.

Voir variantes p. 51

Pizza au paneer

Pour 4 personnes

Cette recette, qui séduira les amateurs de cuisine fusion, mêle les parfums de l'Inde et de l'Italie.

260 g (9 oz) de paneer, coupé en dés
½ c. à t. de piment rouge en poudre
½ c. à t. de coriandre moulue
½ c. à t. de cumin en poudre
¼ de c. à t. d'amchur
Sel, au goût
1 c. à s. d'huile
1 c. à s. de jus de citron frais
1 pâte à pizza prête à l'emploi

85 g (3 oz) de sauce à pizza
1 petit oignon, finement émincé
½ poivron vert, épépiné et finement émincé
1 piment jalapeño, non épépiné, finement émincé
140 g (4,5 oz) de mozzarella râpée
2 c. à s. de feuilles de coriandre fraîche, finement ciselées

Dans un grand saladier, faites mariner le fromage avec les épices, le sel, l'huile et le jus de citron. Réservez 15 à 20 min.

Préchauffez le four à 340 °F (175 °C). Garnissez la pâte à pizza de sauce. Disposez-y l'oignon, le poivron, le piment jalapeño et le fromage mariné, en prenant soin de répartir uniformément les différents ingrédients sur toute la surface de la pâte. Parsemez le tout de mozzarella.

Enfournez pour 15 à 20 min ; le fromage doit fondre. Parsemez de coriandre ciselée avant de servir.

Voir variantes p. 52

Ailes de poulet au garam masala

Pour 4 personnes

Voici une manière originale de préparer des ailes de poulet. Sans être trop fort, le mélange d'épices est suffisamment relevé pour titiller vos papilles.

½ c. à t. de piment rouge en poudre
½ c. à t. de coriandre en poudre
½ c. à t. de cumin en poudre
½ c. à t. de garam masala
¼ de c. à t. d'amchur
1 c. à s. d'ail écrasé
1 c. à s. de gingembre écrasé
1 c. à s. de purée de tomates
2 c. à s. de jus de citron frais
2 c. à s. d'huile
Sel et poivre, au goût
12 ailes de poulet, avec la peau

Dans un grand saladier, mélangez tous les ingrédients, sauf la viande. Ajoutez-y les ailes de poulet et remuez soigneusement, afin qu'elles soient bien enrobées du mélange épicé. Laissez mariner 30 min au réfrigérateur.

Préchauffez le four à 400 °F (200 °C). Sur une plaque de cuisson garnie d'une feuille de papier d'aluminium, disposez les ailes de poulet en les séparant bien les unes des autres. Enfournez-les pour 15 à 20 min, en les retournant une fois en cours de cuisson. Elles doivent être croustillantes au dehors et cuites à cœur.

Voir variantes p. 53

Croquettes de paneer

Pour 6 personnes

Cette version indienne des classiques croquettes de fromage est un excellent moyen d'initier les enfants à des saveurs inconnues, sans trop les dépayser.

260 g (9 oz) de paneer, râpé
2 grosses pommes de terre, bouillies et écrasées
¼ de c. à t. de piment rouge en poudre
½ c. à t. de coriandre moulue
½ c. à t. de cumin en poudre
½ c. à t. d'ail semoule
Sel et poivre, au goût
Huile
2 œufs, battus
225 g (2 tasses) de chapelure

Dans un grand saladier, mélangez soigneusement le fromage, les pommes de terre écrasées, les épices, l'ail, le sel et le poivre.

Dans une poêle profonde, faites chauffer un peu d'huile. Façonnez le mélange précédent en petites boules de la taille d'une balle de golf, que vous presserez légèrement entre vos mains sans cesser de les rouler, de manière à former des croquettes cylindriques. Plongez celles-ci dans l'œuf battu, puis dans la chapelure, en prenant soin de bien les en enrober.

Faites frire les croquettes dans l'huile chaude ; elles doivent être uniformément dorées et croustillantes. Égouttez-les sur du papier absorbant, puis servez-les tièdes.

Voir variantes p. 54

Soupe de carotte aux épices

Pour 4 personnes

Cette soupe convient parfaitement pour un dîner par temps froid ou pluvieux. Pour un repas improvisé, accompagnez-la de naans ou de chapatis.

1 c. à s. d'huile
1 petit oignon, finement émincé
2 gousses d'ail, hachées
4 grosses carottes, pelées et cuites à la vapeur
1/4 de c. à t. de curcuma en poudre
1/2 c. à t. de piment rouge en poudre
1 c. à t. de persil lyophilisé
1/2 c. à t. de coriandre moulue
1/4 de c. à t. de cumin en poudre
1 l (4 tasses) de bouillon de légumes ou de volaille
Sel et poivre, au goût

Dans une grande casserole, faites chauffer l'huile, puis mettez-y l'oignon et l'ail à revenir quelques minutes. Dès que l'oignon est bien tendre, ajoutez les carottes cuites coupées en tronçons, ainsi que le curcuma, le piment rouge, le persil, la coriandre et le cumin. Poursuivez la cuisson quelques instants, en remuant soigneusement ; les morceaux de carotte doivent être bien enrobés du mélange d'épices et commencer à caraméliser légèrement.

Mouillez avec le bouillon de légumes ou de volaille ; portez à ébullition et laissez mijoter 10 à 15 min. Salez et poivrez, puis laissez refroidir.

Lorsque la soupe est revenue à température ambiante, mixez-la au robot électrique, puis réchauffez-la et servez-la tiède. Si elle est trop épaisse, délayez-la avec un petit peu d'eau ou de bouillon et portez-la de nouveau à ébullition avant de servir.

Voir variantes p. 55

Soupe de concombre au yogourt

Pour 4 personnes

Cette soupe constitue l'entrée estivale par excellence. Servez-la bien fraîche dans de jolis verres, pour une présentation originale.

400 g (1 2/3 tasse) de yogourt nature, entier ou allégé
25 cl (1 tasse) d'eau
1/4 de c. à t. de piment rouge en poudre
1/4 de c. à t. de cumin en poudre
1 c. à t. d'ail haché
2 c. à s. de feuilles de coriandre fraîche, finement ciselées
1 c. à s. de jus de citron
260 g (2 tasses) de concombre, râpé
Sel, au goût

Dans un grand saladier, mélangez le yogourt, l'eau, le piment rouge, le cumin, l'ail, la coriandre et le jus de citron, jusqu'à obtention d'un ensemble homogène et lisse.

Ajoutez-y le concombre râpé et mélangez délicatement. Salez à votre convenance. Servez bien frais.

Voir variantes p. 56

Soupe épicée à la tomate

Pour 4 personnes

Ce grand classique de la gastronomie indienne gagne à être rehaussé d'un filet de citron.

1 c. à s. d'huile
1 oignon moyen, finement émincé
1 morceau de gingembre (2,5 cm - 1 po)
2 ou 3 grosses gousses d'ail
¼ de c. à t. de piment rouge en poudre
¼ de c. à t. de curcuma en poudre
¼ de c. à t. de coriandre moulue
2 tomates moyennes, concassées
1 l (4 tasses) de bouillon de légumes ou de volaille
2 tiges de citronnelle, légèrement écrasées et coupées en tronçons
1 ou 2 gros piments non épépinés, coupés en tronçons de 2,5 cm (1 po)
Sel et poivre, au goût
1 c. à s. de jus de citron frais

Dans une grande casserole, faites chauffer l'huile et mettez-y l'oignon, le gingembre et l'ail à revenir. Dès que l'oignon est bien tendre, ajoutez-y le piment, le curcuma et la coriandre. Poursuivez la cuisson quelques instants avant d'incorporer les tomates concassées.

Faites revenir le tout, en remuant de temps à autre. Quand la tomate a tendance à s'écraser, mouillez avec le bouillon et ajoutez la citronnelle et le piment. Portez à ébullition, puis laissez mijoter 15 min environ. Salez et poivrez à votre convenance.

Voir variantes p. 57

Soupe de maïs au lait de coco

Pour 4 personnes

Cette préparation légère fleure bon les parfums de l'Inde du Sud. Son caractère crémeux, dû au maïs et au lait de coco, est agréablement rehaussé d'une touche de citronnelle.

1 c. à s. d'huile
1 c. à s. d'ail écrasé
1 c. à s. de pâte de curry
1 petit oignon, finement émincé
25 cl (1 tasse) de lait de coco
75 cl (3 tasses) de bouillon de légumes
ou de volaille
1 tige de citronnelle, écrasée et coupée
en tronçons de 5 cm (2 po)
140 g (4,5 oz) de maïs surgelé
Sel et poivre, au goût
Feuilles de coriandre fraîche, finement ciselées
Piments verts, émincés
Quartiers de citron

Dans une grande casserole, faites chauffer l'huile et mettez-y l'ail et la pâte de curry à revenir quelques instants. Dès que le mélange est odorant, ajoutez-y l'oignon.

Lorsque l'oignon est bien doré, mouillez la préparation avec le lait de coco et le bouillon. Incorporez-y la citronnelle, puis portez le tout à ébullition à feu doux. Ajoutez le maïs et laissez mijoter encore 5 à 10 min.

Salez et poivrez à votre convenance, puis parsemez de feuilles de coriandre et de piments verts. Servez accompagné de quartiers de citron. Les convives qui le souhaitent relèveront leur soupe d'un trait de jus de citron.

Voir variantes p. 58

Soupe de lentilles

Pour 4 personnes

Cette délicieuse soupe, agréablement aromatisée aux graines de fenouil et de cumin, sera fort appréciée par une soirée d'hiver. En outre, les lentilles sont excellentes pour la santé.

50 cl (2 tasses) d'eau
200 g (1 tasse) de lentilles rouges, lavées et égouttées
1 petit oignon, émincé
1 petite tomate, concassée
2 grosses gousses d'ail
1 morceau de gingembre (2,5 cm - 1 po), haché
¼ de c. à t. de curcuma en poudre
¼ de c. à t. de piment rouge en poudre
1 c. à s. d'huile
½ c. à t. de graines de cumin
½ c. à t. de graines de fenouil
Sel, au goût

Dans une grande casserole, portez l'eau à ébullition avec les lentilles, l'oignon, la tomate, l'ail, le gingembre, le curcuma et le piment ; les lentilles doivent être tendres et s'écraser légèrement. Laissez refroidir la préparation. Versez-la dans le bol d'un robot électrique et actionnez jusqu'à obtention d'un ensemble lisse et homogène. Remettez la soupe mixée en casserole.

Dans une petite poêle, faites chauffer l'huile et mettez-y les graines de cumin et de fenouil à revenir. Dès que les épices commencent à crépiter, versez la préparation (huile comprise) dans la soupe. Portez l'ensemble à ébullition. Salez à votre convenance.

Voir variantes p. 59

Variantes

Croquettes de poisson

Recette de base p. 17

Croquettes de thon

Suivez la recette de base, en remplaçant le poisson par 225 g (7,5 oz) de thon au naturel, émietté. Rincez et égouttez soigneusement le thon avant utilisation.

Croquettes de crevettes

Suivez la recette de base, en remplaçant le poisson par 340 g (11,5 oz) de crevettes roses, décortiquées et nettoyées.

Croquettes de poulet

Suivez la recette de base, en remplaçant le poisson par 140 g (4,5 oz) de poulet haché. Comptez 10 min de cuisson supplémentaires.

Croquettes d'agneau

Suivez la recette de base, en remplaçant le poisson par 225 g (7,5 oz) d'agneau haché. Comptez 10 min de cuisson supplémentaires.

Variantes

Boulettes de viande au garam masala

Recette de base p. 18

Boulettes de viande à la menthe
Suivez la recette de base, en ajoutant au mélange d'épices 1 c. à s. de feuilles de menthe séchées.

Boulettes de viande au sésame
Suivez la recette de base, en enrobant les boulettes de graines de sésame avant de les faire frire.

Boulettes de viande aux graines de fenouil
Suivez la recette de base, en ajoutant au mélange d'épices 1 c. à s. de graines de fenouil moulues.

Boulettes de viande à la cardamome
Suivez la recette de base, en ajoutant au mélange d'épices ½ c. à t. de graines de cardamome moulues.

Boulettes de viande au poivre
Suivez la recette de base, en ajoutant au mélange d'épices 1 c. à t. de poivre noir moulu.

Variantes

Gobi manchurian

Recette de base p. 20

Beignets de fromage, sauce indochinoise
Suivez la recette de base, en remplaçant les fleurettes de chou-fleur par 375 g (12,5 oz) de paneer.

Beignets de champignons, sauce indochinoise
Suivez la recette de base, en remplaçant les fleurettes de chou-fleur par 350 g (11,5 oz) de petits champignons de Paris.

Beignets de pomme de terre, sauce indochinoise
Suivez la recette de base, en remplaçant les fleurettes de chou-fleur par 700 g (1,8 lb) de pommes de terre coupées en petits dés.

Beignets de pousses de maïs, sauce indochinoise
Suivez la recette de base, en remplaçant les fleurettes de chou-fleur par 400 g (13,5 oz) de pousses de maïs. Rincez et égouttez soigneusement les pousses de maïs. Réduisez l'ajout de sel.

Beignets de brocolis, sauce indochinoise
Suivez la recette de base, en remplaçant les fleurettes de chou-fleur par 400 g (13,5 oz) de brocolis crus.

Variantes

Pommes de terre aux épices

Recette de base p. 23

Pommes de terre aux graines de fenouil
Suivez la recette de base, en ajoutant au mélange d'épices 1 c. à s. de graines de fenouil moulues.

Pommes de terre aux graines de sésame
Suivez la recette de base, en ajoutant au mélange d'épices 1 c. à s. de graines de sésame moulues.

Pommes de terre au zeste de citron
Suivez la recette de base, en ajoutant au mélange d'épices 1 c. à s. de zeste de citron râpé.

Pommes de terre au poivre
Suivez la recette de base, en ajoutant au mélange d'épices 1 c. à s. de poivre noir moulu.

Pommes de terre à l'ail
Remplacez le mélange d'épices par 1 c. à s. d'ail haché additionné d'une tombée d'huile et d'une pincée de sel. Poursuivez la préparation comme indiqué dans la recette de base.

Variantes

Pakoras de paneer à la coriandre

Recette de base p. 25

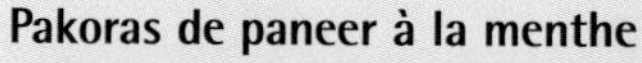

Pakoras de paneer à la menthe
Suivez la recette de base, en remplaçant la coriandre par 140 g (4,5 oz) de menthe.

Pakoras de paneer à l'aneth
Suivez la recette de base, en remplaçant la coriandre par 140 g (4,5 oz) d'aneth.

Pakoras de paneer aux épinards
Suivez la recette de base, en remplaçant la coriandre par 140 g (4,5 oz) d'épinards frais.

Pakoras de paneer à la tomate
Suivez la recette de base, en remplaçant la coriandre par 140 g (4,5 oz) de tomates épépinées. Ne mouillez pas la préparation avant de la mixer.

Pakoras de pomme de terre à la coriandre
Remplacez le fromage par 400 g (13,5 oz) de pommes de terre émincées.

Pakoras d'aubergines à la coriandre
Suivez la recette de base, en remplaçant le fromage par 400 g (13,5 oz) d'aubergines émincées.

Pakoras de courgettes à la coriandre
Suivez la recette de base, en remplaçant le fromage par 400 g (13,5 oz) de courgettes émincées.

Variantes

Samossas

Recette de base p. 26

Samossas à la patate douce

Suivez la recette de base, en remplaçant les pommes de terre par 250 g (8 oz) de patate douce. Omettez les petits pois.

Samossas au chou-fleur

Suivez la recette de base, en remplaçant les pommes de terre par 250 g (8 oz) de fleurettes de chou-fleur.

Samossas à la menthe

Suivez la recette de base, en remplaçant les graines de coriandre et la coriandre moulue par 2 c. à s. de feuilles de menthe fraîche finement ciselées. Omettez les petits pois.

Samossas au zeste de citron

Suivez la recette de base, en remplaçant les graines de coriandre et la coriandre moulue par 1 c. à s. de zeste de citron râpé. Omettez les petits pois.

Samossas à l'aneth

Suivez la recette de base, en remplaçant les graines de coriandre et la coriandre moulue par 2 c. à s. d'aneth frais. Omettez les petits pois.

Variantes

Pakoras de poisson

Recette de base p. 28

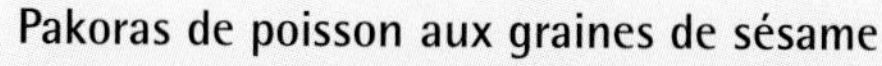

Pakoras de poisson aux graines de sésame
Suivez la recette de base, en agrémentant la pâte de 1 c. à s. de graines de sésame.

Pakoras de poisson à la menthe
Suivez la recette de base, en agrémentant la pâte de 1 c. à s. de menthe séchée.

Pakoras de poulet
Suivez la recette de base, en remplaçant le poisson par 450 g (1 lb) de blanc de poulet.

Pakoras de crevettes
Suivez la recette de base, en remplaçant le poisson par 450 g (1 lb) de crevettes roses, décortiquées et nettoyées.

Pakoras de pomme de terre
Suivez la recette de base, en remplaçant le poisson par 400 g (13,5 oz) de pommes de terre, découpées en fines lamelles.

Pakoras d'aubergines
Suivez la recette de base, en remplaçant le poisson par 400 g (13,5 oz) d'aubergines découpées en fines lamelles.

Variantes

Pizza au paneer

Recette de base p. 31

Pizza au poulet
Remplacez le fromage par 1 blanc de poulet moyen, coupé en très petits dés. Suivez la recette de base, en faisant revenir le poulet mariné dans 1 c. à s. d'huile, jusqu'à ce qu'il soit bien doré. Parsemez la pizza du poulet frit.

Pizza aux champignons
Suivez la recette de base, en remplaçant le paneer par 140 g (4,5 oz) de champignons émincés.

Pizza au chou-fleur
Suivez la recette de base, en remplaçant le paneer par 140 g (4,5 oz) de fleurettes de chou-fleur.

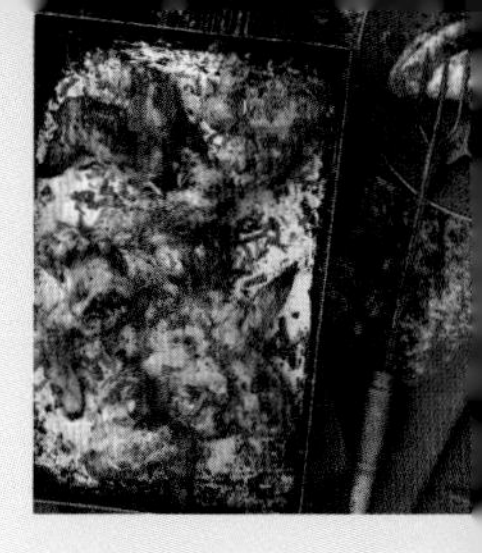

Variantes

Ailes de poulet au garam masala

Recette de base p. 32

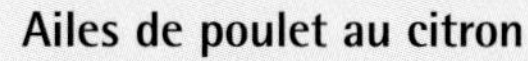

Ailes de poulet au citron
Suivez la recette de base, en ajoutant au mélange d'épices 1 c. à s. de zeste de citron râpé.

Ailes de poulet à la menthe
Suivez la recette de base, en ajoutant au mélange d'épices 1 c. à s. de menthe séchée.

Ailes de poulet aux graines de fenouil
Suivez la recette de base, en ajoutant au mélange d'épices 1 c. à s. de graines de fenouil moulues.

Ailes de poulet aux feuilles de curry
Suivez la recette de base, en ajoutant au mélange d'épices 1 c. à s. de feuilles de curry séchées, émiettées.

Ailes de poulet au poivre
Suivez la recette de base, en ajoutant au mélange d'épices 1 c. à s. de poivre noir moulu.

Variantes

Croquettes de paneer

Recette de base p. 35

Croquettes de paneer à la menthe
Suivez la recette de base, en y ajoutant 1 c. à s. de feuilles de menthe séchées.

Croquettes de paneer aux graines de fenouil
Suivez la recette de base, en y ajoutant 1 c. à s. de graines de fenouil.

Croquettes de paneer aux graines de sésame
Suivez la recette de base, en y ajoutant 1 c. à s. de graines de sésame.

Croquettes de paneer au poivre
Suivez la recette de base, en y ajoutant 1 c. à s. poivre noir moulu.

Croquettes de paneer au cumin
Suivez la recette de base, en y ajoutant 1 c. à s. de graines de cumin grillées. Omettez le cumin en poudre.

Variantes

Soupe de carotte aux épices

Recette de base p. 36

Soupe de carotte à la menthe
Suivez la recette de base, en remplaçant le persil par 1 c. à t. de menthe séchée.

Soupe de carotte au fenouil
Suivez la recette de base, en remplaçant le persil par 1 c. à s. de graines de fenouil moulues.

Soupe de carotte au poivre noir
Suivez la recette de base, en remplaçant le persil par 1 c. à t. de poivre noir moulu.

Soupe de patate douce aux épices
Suivez la recette de base, en remplaçant les carottes par 250 g (8 oz) de patate douce.

Soupe de petits pois aux épices
Suivez la recette de base, en remplaçant les carottes par 300 g (2 tasses) de petits pois surgelés.

Soupe de petits pois à la menthe
Suivez la recette de base, en remplaçant le persil par 1 c. à t. de menthe séchée et les carottes par 250 g (8 oz) de petits pois surgelés.

Variantes

Soupe de concombre au yogourt

Recette de base p. 39

Soupe de carotte au yogourt
Suivez la recette de base, en remplaçant le concombre par 140 g (4,5 oz) de carottes râpées.

Soupe de betterave au yogourt
Suivez la recette de base, en remplaçant le concombre par 140 g (4,5 oz) de betterave râpée.

Soupe de légumes au yogourt
Suivez la recette de base, en ajoutant au concombre 140 g (4,5 oz) de tomates, d'oignons et de carottes finement émincés.

Soupe de pomme de terre au yogourt
Suivez la recette de base, en remplaçant le concombre par 140 g (4,5 oz) de pommes de terre bouillies.

Soupe de concombre à l'aneth ou à la menthe
Suivez la recette de base, en remplaçant la coriandre fraîche par 2 c. à s. d'aneth frais, finement ciselé, ou de menthe fraîche, finement ciselée.

Variantes

Soupe épicée à la tomate

Recette de base p. 40

Soupe épicée au riz et à la tomate

Suivez la recette de base, en ajoutant au bouillon 140 g (3/4 tasse) de riz. Comptez 10 min de cuisson supplémentaires.

Soupe épicée aux champignons

Suivez la recette de base, en ajoutant aux tomates 140 g (4,5 oz) de champignons finement émincés.

Soupe épicée au tofu

Suivez la recette de base, en ajoutant aux tomates 140 g (4,5 oz) de tofu coupé en dés.

Soupe épicée au poulet

Suivez la recette de base, en ajoutant aux tomates 140 g (4,5 oz) de blanc de poulet coupé en dés. Comptez 10 min de cuisson supplémentaires.

Soupe épicée aux légumes

Suivez la recette de base, en ajoutant aux tomates 140 g (4,5 oz) de légumes divers (carottes, petits pois, maïs).

Variantes

Soupe de maïs au lait de coco

Recette de base p. 43

Soupe de crevettes au lait de coco
Suivez la recette de base, en ajoutant aux oignons 140 g (4,5 oz) de crevettes roses, décortiquées et nettoyées. Comptez 10 min de cuisson supplémentaires.

Soupe de tofu au lait de coco
Suivez la recette de base, en ajoutant aux oignons 140 g (4,5 oz) de tofu coupé en dés. Comptez 10 min de cuisson supplémentaires.

Soupe de poulet au lait de coco
Suivez la recette de base, en ajoutant aux oignons 140 g (4,5 oz) de blanc de poulet coupé en petits dés. Comptez 10 min de cuisson supplémentaires.

Soupe de poisson au lait de coco
Suivez la recette de base, en ajoutant aux oignons 140 g (4,5 oz) de poisson à chair ferme coupé en petits dés. Comptez 10 min de cuisson supplémentaires.

Soupe de tomate au lait de coco
Suivez la recette de base, en ajoutant aux oignons 140 g (4,5 oz) de tomates concassées.

Variantes

Soupe de lentilles

Recette de base p. 44

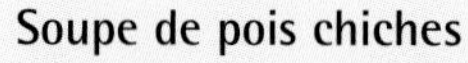

Soupe de pois chiches
Remplacez les lentilles par 260 g (8,5 oz) de pois chiches cuits.

Soupe de haricots rouges
Suivez la recette de base, en remplaçant les lentilles par 260 g (1 ½ tasse) de haricots rouges cuits. Si vous utilisez des haricots rouges en conserve, veillez à bien les rincer et à les égoutter avant utilisation. Ne salez pas la préparation.

Soupe de haricots noirs
Suivez la recette de base, en remplaçant les lentilles par 260 g (1 ½ tasse) de haricots noirs cuits. Si vous utilisez des haricots noirs en conserve, veillez à bien les rincer et à les égoutter avant utilisation. Ne salez pas la préparation.

Soupe de petits pois
Suivez la recette de base, en remplaçant les lentilles par 140 g (4,5 oz) de petits pois.

Soupe de maïs
Suivez la recette de base, en remplaçant les lentilles par 140 g (4,5 oz) de maïs doux.

Soupe de chou-fleur
Suivez la recette de base, en remplaçant les lentilles par 140 g (4,5 oz) de chou-fleur.

Kebabs

Pour recevoir en toute décontraction, rien de plus facile que d'allumer le gril et d'y faire cuire des brochettes. En règle générale, les kebabs cuisent dans un *tandoor*, four en argile traditionnel chauffé au bois ou au charbon. Cependant, le barbecue convient parfaitement pour réaliser les recettes qui suivent.

Kebabs de poulet

Pour 4 personnes

Ces kebabs peuvent être dégustés tels quels ou accompagnés d'une trempette au yogourt. Pour un déjeuner sur le pouce original, découpez la viande des brochettes en petits morceaux. Garnissez-en des tortillas, que vous agrémenterez aussi de feuilles de laitue et de tomates concassées.

450 g (1 lb) de blanc de poulet, coupé en dés de 2,5 cm (1 po) de côté
125 g (½ tasse) de yogourt nature (entier ou allégé), fouetté jusqu'à consistance lisse
1 c. à s. d'huile + un peu pour la poêle
2 c. à s. de jus de citron frais
1 c. à t. d'ail, haché
1 c. à t. de gingembre, haché
½ c. à t. de piment rouge en poudre
½ c. à t. de coriandre moulue
½ c. à t. de cumin en poudre
¼ de c. à t. de garam masala
¼ de c. à t. d'amchur
Sel, au goût

Dans un grand saladier, mélangez soigneusement le poulet aux autres ingrédients, hormis l'huile. Laissez mariner le tout 4 h environ au réfrigérateur.

Huilez et chauffez à blanc une poêle-gril. Faites-y revenir les dés de poulet 3 à 5 min environ. Retournez-les, afin qu'ils soient uniformément grillés. Poursuivez la cuisson 5 min ; la viande doit être cuite à cœur et marquée par le fond strié de la poêle.

Vous pouvez aussi faire cuire le poulet dans un four préchauffé à 400 °F (200 °C) pendant 15 à 20 min, en retournant la viande une fois en cours de cuisson.

Voir variantes p. 77

Champignons farcis tandoori

Pour 4 personnes

Ces bouchées apporteront une touche exotique à vos réceptions. Servez-les tièdes ou à température ambiante.

1 c. à s. d'huile + un peu pour la plaque
1 c. à t. de graines de cumin
1 c. à s. d'ail, haché
1 oignon moyen, finement émincé
1/4 de c. à t. de piment rouge en poudre
1/2 c. à t. de coriandre moulue
1/4 de c. à t. de cumin en poudre
Sel, au goût
2 c. à s. de feuilles de coriandre fraîche, finement ciselées
250 g (1 tasse) de yogourt nature, entier ou écrémé, fouetté jusqu'à consistance lisse
1 c. à t. de garam masala
1 c. à t. d'amchur
2 c. à s. de jus de citron frais
12 à 15 petits champignons de Paris (environ 450 g - 1 lb), débarrassés de leur pied

Dans une grande poêle, faites chauffer l'huile et mettez-y les graines de cumin et l'ail à revenir. Quand le mélange crépite, ajoutez-y l'oignon, le piment, la coriandre moulue, le cumin en poudre et du sel. Lorsque les oignons sont tendres et dorés, incorporez la coriandre ciselée. Réservez.

Dans un saladier, mélangez le yogourt, le garam masala, l'amchur, le jus de citron et le sel. Ajoutez-y les champignons et réservez 30 min. Préchauffez le four à 400 °F (200 °C). Égouttez les champignons. Farcissez chacun d'eux de 1 c. à s. environ de la préparation épicée. Huilez une plaque de cuisson, disposez-y les champignons et enfournez-les pour 15 à 20 min. La farce doit être dorée et les champignons doivent être cuits à cœur.

Voir variantes p. 78

Crevettes tandoori

Pour 4 personnes

Pour un meilleur résultat, privilégiez des crevettes fraîches, plus parfumées. Astuce : pour gagner du temps, faites revenir les crevettes à la poêle, à feu vif. Elles sont cuites quand elles deviennent opaques.

2 c. à s. de pâte de tomates
1 c. à s. de jus de citron frais + un peu pour le service
1 c. à s. d'huile + un peu pour la poêle
1 c. à t. d'ail semoule
½ c. à t. de piment rouge en poudre
½ c. à t. d'amchur
¼ de c. à t. de curcuma en poudre
Sel et poivre, au goût
15 à 20 grosses crevettes (900 g – 2 lb environ), décortiquées et nettoyées

Dans un grand saladier, mélangez tous les ingrédients, hormis les crevettes. Ajoutez-y les crevettes et remuez soigneusement, de façon qu'elles soient bien enrobées du mélange d'épices. Laissez mariner 15 à 20 min au réfrigérateur.

Huilez et chauffez à blanc une poêle-gril. Faites-y revenir les crevettes 2 à 3 min de chaque côté ; elles doivent être croustillantes en surface et cuites à cœur.

Arrosez-les d'un trait de jus de citron avant de servir.

Voir variantes p. 79

Tikkas de poisson à la menthe

Pour 4 personnes

Ces délicieuses petites croquettes, à servir en entrée ou en guise de tapas, offrent l'immense avantage d'être faciles à préparer et de cuire en un rien de temps.

1 c. à s. de feuilles de coriandre fraîche, finement ciselées
2 c. à s. de feuilles de menthe fraîche, finement ciselées
1 c. à s. de jus de citron frais
2 c. à s. d'huile + un peu pour la poêle
1 c. à t. d'ail semoule
½ c. à t. de piment rouge en poudre
¼ de c. à t. de cumin en poudre
¼ de c. à t. d'amchur
Sel, au goût
450 g (1 lb) de filets de poisson blanc à chair ferme, coupés en dés de 2,5 cm (1 po) de côté

Dans un grand saladier, mélangez tous les ingrédients, hormis le poisson. Ajoutez-y les dés de poisson et remuez soigneusement, afin qu'ils soient bien enrobés du mélange d'épices. Laissez mariner 15 à 20 min au réfrigérateur.

Huilez et chauffez à blanc une poêle-gril. Faites-y revenir les dés de poisson 2 à 3 min de chaque côté ; ils doivent être croustillants en surface et cuits à cœur.

Voir variantes p. 80

Kebabs verts

Pour 4 personnes

Ces kebabs peuvent être servis avec une trempette. Pour faire un repas complet, accompagnez-les de naans et d'une salade.

2 grosses pommes de terre, pelées, bouillies et écrasées
150 g (5 oz) de petits pois surgelés, dégelés et écrasés
1 petit oignon, finement émincé
1 c. à t. d'ail semoule
½ c. à t. de piment rouge en poudre
½ c. à t. de coriandre moulue
½ c. à t. de chaat masala
¼ de c. à t. de garam masala
2 c. à s. de jus de citron frais
Sel, au goût
Huile

Dans un grand saladier, mélangez les pommes de terre, les petits pois, l'oignon et l'ail, les épices, le jus de citron et le sel. Façonnez l'appareil en boulettes de la taille d'une balle de golf. Aplatissez-les légèrement entre les paumes de vos mains, puis lissez-en les bords.

Dans une poêle, faites chauffer un peu d'huile et plongez-y les kebabs jusqu'à ce qu'ils soient croustillants et uniformément dorés.

Voir variantes p. 81

Côtelettes d'agneau

Pour 4 personnes

Veillez à faire mariner la viande le plus longtemps possible, afin qu'elle soit parfaitement attendrie et bien imprégnée des saveurs des différentes épices. L'agneau ainsi préparé peut être congelé en vue d'une utilisation ultérieure. Cela vous sauvera la mise le jour où vous n'aurez pas beaucoup de temps à consacrer à la cuisine...

250 g (1 tasse) de yogourt nature, entier ou allégé, fouetté jusqu'à consistance lisse
1 c. à s. d'ail, haché
1 c. à s. de gingembre, haché
2 c. à s. de feuilles de coriandre fraîche, finement ciselées
2 c. à s. de jus de citron frais
2 c. à s. d'huile + un peu pour la plaque
½ c. à t. de piment rouge en poudre
½ c. à t. de chaat masala
½ c. à t. de garam masala
1 c. à t. de coriandre moulue
1 c. à t. de cumin en poudre
6 à 8 côtelettes d'agneau (900 g - 2 lb environ)
Sel, au goût

Dans un grand saladier, mélangez tous les ingrédients, hormis l'agneau et le sel. Ajoutez-y les côtelettes, mélangez bien et laissez mariner 2 h au moins au réfrigérateur. Préchauffez le four à 400 °F (200 °C).

Huilez une plaque de cuisson. Disposez-y les côtelettes, salez-les et enfournez-les pour 20 à 30 min, en les retournant une fois en cours de cuisson. La viande doit être tendre et cuite à cœur.

Voir variantes p. 82

Tikkas d'agneau

Pour 4 personnes

Pour un dîner sur le pouce, accompagnez ces tikkas de naans et de raïta. Pour un repas plus exotique, servez-les avec des currys, de la salade et du riz pilaf.

250 g (1 tasse) de yogourt nature, entier ou allégé, fouetté jusqu'à consistance lisse
2 c. à s. de feuilles de coriandre fraîche, finement ciselées
2 c. à s. de feuilles de menthe fraîche, finement ciselées
1 c. à t. d'ail, haché
1 c. à t. de gingembre, haché
½ c. à t. de piment rouge en poudre
½ c. à t. d'amchur
1 c. à t. de garam masala
2 c. à s. de jus de citron frais
2 c. à s. d'huile + un peu pour la plaque
Sel, au goût
900 g (2 lb) de gigot d'agneau, désossé et coupé en dés de 2,5 cm (1 po) de côté

Dans un grand saladier, mélangez tous les ingrédients, hormis l'agneau et le sel. Ajoutez-y la viande, mélangez bien et laissez mariner 2 h au moins au réfrigérateur. Préchauffez le four à 400 °F (200 °C).

Huilez une plaque de cuisson. Disposez-y les dés d'agneau, salez-les et enfournez-les pour 20 à 30 min, en les retournant une fois en cours de cuisson. La viande doit être tendre et cuite à cœur.

Voir variantes p. 83

Cuisses de poulet tandoori

Pour 4 personnes

Ce grand classique est l'un des plats les plus appréciés de la cuisine indienne. Même si vous ne disposez pas d'un four traditionnel *(tandoor)*, vous pourrez recréer assez facilement les saveurs de la préparation originelle. Les cuisses de poulet offrent l'avantage de cuire parfaitement au four comme au gril.

1 c. à s. d'ail, haché
1 c. à s. de gingembre, haché
1 c. à s. d'huile + un peu pour la plaque
1 c. à s. de yogourt nature, entier ou allégé, fouetté jusqu'à consistance lisse
2 c. à s. de jus de citron
¼ de c. à t. de curcuma en poudre
½ c. à t. de piment rouge en poudre
1 c. à t. de coriandre moulue
1 c. à t. de cumin en poudre
1 c. à t. de garam masala
8 à 10 cuisses de poulet, débarrassées de leur peau et incisées sur le côté
Sel, au goût

Dans un grand saladier, mélangez tous les ingrédients, hormis le poulet et le sel. Ajoutez-y la viande, mélangez bien et laissez mariner 1 h au moins au réfrigérateur. Préchauffez le four à 375 °F (190 °C).

Huilez une plaque de cuisson. Disposez-y les cuisses de poulet, salez-les et enfournez-les pour 20 à 25 min, en les retournant une fois en cours de cuisson. La viande doit être tendre et cuite à cœur.

Voir variantes p. 84

Shashlik de paneer

Pour 4 personnes

Le shashlik est une spécialité culinaire type brochettes. Très apprécié des végétariens, le paneer est un fromage tendre qui, à la cuisson, ne fond pas et conserve sa texture et sa forme.

125 g (1/2 tasse) de yogourt nature, entier ou allégé, fouetté jusqu'à consistance lisse
1/4 de c. à t. de piment rouge en poudre
1/2 c. à t. d'amchur
1/2 c. à t. de coriandre moulue
1/2 c. à t. de cumin en poudre
1/2 c. à t. d'ail semoule
1 c. à s. de jus de citron frais
1 c. à s. d'huile + un peu pour la poêle
Sel, au goût
450 g (1 lb) de paneer, coupé en dés de 2,5 cm (1po) de côté
Brochettes de bambou, trempées au moins 20 min dans l'eau
1 poivron vert moyen, coupé en dés de 2,5 cm (1po) de côté
1 oignon moyen, coupé en dés de 2,5 cm (1po) de côté
Huile

Dans un grand saladier, mélangez le yogourt, les épices, l'ail, le jus de citron, l'huile et le sel. Ajoutez-y les dés de paneer et laissez mariner 30 min au réfrigérateur.

Enfilez les dés de fromage sur les brochettes, en alternant avec des morceaux de poivron vert et d'oignon. Huilez et chauffez à blanc une poêle-gril et faites-y griller les brochettes 2 à 3 min de chaque côté. Le paneer doit être croustillant à l'extérieur et cuit à cœur.

Voir variantes p. 85

Variantes

Kebabs de poulet

Recette de base p. 61

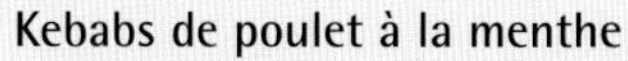

Kebabs de poulet à la menthe
Suivez la recette de base, en ajoutant au mélange d'épices 1 c. à s. de feuilles de menthe séchées.

Kebabs de poulet au citron
Suivez la recette de base, en ajoutant au mélange d'épices 1 c. à s. de zeste de citron râpé.

Kebabs de poulet aux graines de fenouil
Suivez la recette de base, en ajoutant au mélange d'épices 1 c. à s. de graines de fenouil moulues.

Kebabs de poulet aux graines de sésame
Suivez la recette de base, en ajoutant au mélange d'épices 1 c. à s. de graines de sésame.

Kebabs de pomme de terre
Suivez la recette de base, en remplaçant le poulet par 350 g (11,5 oz) de petites pommes de terre pelées. Comptez 5 min de cuisson supplémentaires.

Variantes

Champignons farcis tandoori

Recette de base p. 62

Champignons farcis à la menthe
Suivez la recette de base, en remplaçant la coriandre fraîche par 2 c. à s. de feuilles de menthe fraîche, finement ciselées.

Champignons farcis à l'aneth
Suivez la recette de base, en remplaçant la coriandre fraîche par 2 c. à s. d'aneth frais, finement ciselé.

Champignons farcis aux graines de fenouil
Suivez la recette de base, en ajoutant au mélange d'épices 1 c. à s. de graines de fenouil.

Champignons farcis aux graines de sésame
Suivez la recette de base, en ajoutant au mélange d'épices 1 c. à s. de graines de sésame.

Variantes

Crevettes tandoori

Recette de base p. 64

Poulet tandoori
Suivez la recette de base, en remplaçant les crevettes par 450 g (1 lb) de blanc de poulet, coupé en dés. Comptez 10 min de cuisson supplémentaires.

Poisson tandoori
Suivez la recette de base, en remplaçant les crevettes par 450 g (1 lb) de filets de poisson blanc à chair ferme, coupés en dés. Comptez 10 min de cuisson supplémentaires.

Paneer tandoori
Suivez la recette de base, en remplaçant les crevettes par 250 g (8 oz) de paneer (fromage), coupé en dés. Réduisez le temps de cuisson de 5 min.

Pommes de terre tandoori
Suivez la recette de base, en remplaçant les crevettes par 350 g (11,5 oz) de petites pommes de terre pelées. Comptez 10 min de cuisson supplémentaires.

Champignons tandoori
Suivez la recette de base, en remplaçant les crevettes par 250 g (8 oz) de petits champignons de Paris. Réduisez le temps de cuisson de 5 min.

Variantes

Tikkas de poisson à la menthe

Recette de base p. 67

Tikkas de poisson à l'aneth
Suivez la recette de base, en remplaçant la menthe par 2 c. à s. d'aneth frais, finement ciselé.

Tikkas de poisson aux graines de fenouil
Suivez la recette de base, en remplaçant la menthe par 1 c. à s. de graines de fenouil moulues.

Tikkas de poisson aux graines de sésame
Suivez la recette de base, en remplaçant la menthe par 1 c. à s. de graines de sésame.

Tikkas de poulet à la menthe
Suivez la recette de base, en remplaçant le poisson par 450 g (1 lb) de blanc de poulet, désossé et coupé en dés. Comptez 10 min de cuisson supplémentaires.

Tikkas de paneer à la menthe
Suivez la recette de base, en remplaçant le poisson par 250 g (8 oz) de paneer, coupé en dés. Réduisez le temps de cuisson de 5 min.

Variantes

Kebabs verts

Recette de base p. 68

Kebabs verts au paneer
Suivez la recette de base, en remplaçant l'une des pommes de terre par 50 g (1,5 oz) de paneer, émietté.

Kebabs verts au poulet
Suivez la recette de base, en remplaçant l'une des pommes de terre par 130 g (4,5 oz) de poulet haché. Comptez 10 min de cuisson supplémentaires.

Kebabs verts à l'agneau
Suivez la recette de base, en remplaçant l'une des pommes de terre par 130 g (4,5 oz) d'agneau haché. Comptez 10 min de cuisson supplémentaires.

Kebabs verts au thon
Suivez la recette de base, en remplaçant l'une des pommes de terre par 200 g (6,5 oz) de thon au naturel, rincé, égoutté et émietté. Comptez 5 min de cuisson supplémentaires.

Kebabs verts aux légumes
Suivez la recette de base, en remplaçant l'une des pommes de terre par 160 g (5,5 oz) de chou-fleur râpé, cuit à la vapeur.

Variantes

Côtelettes d'agneau

Recette de base p. 70

Côtelettes d'agneau à la menthe
Suivez la recette de base, en remplaçant la coriandre par 2 c. à s. de feuilles de menthe fraîche, finement ciselées.

Côtelettes d'agneau à l'aneth
Suivez la recette de base, en remplaçant la coriandre par 2 c. à s. d'aneth frais, finement ciselé.

Côtelettes d'agneau aux graines de fenouil
Suivez la recette de base, en ajoutant au mélange d'épices 1 c. à s. de graines de fenouil moulues.

Côtelettes d'agneau aux graines de sésame
Suivez la recette de base, en ajoutant au mélange d'épices 1 c. à s. de graines de sésame.

Côtelettes d'agneau au poivre
Suivez la recette de base, en ajoutant au mélange d'épices 1 c. à s. de poivre noir moulu.

Variantes

Tikkas d'agneau

Recette de base p. 73

Tikkas d'agneau à l'aneth
Suivez la recette de base, en remplaçant la coriandre et la menthe par 2 c. à s. d'aneth frais, finement ciselé.

Tikkas d'agneau aux graines de fenouil
Suivez la recette de base, en ajoutant au mélange d'épices 1 c. à s. de graines de fenouil moulues.

Tikkas d'agneau aux graines de sésame
Suivez la recette de base, en ajoutant au mélange d'épices 1 c. à s. de graines de sésame.

Tikkas d'agneau au poivre
Suivez la recette de base, en ajoutant au mélange d'épices 1 c. à s. de poivre noir moulu.

Tikkas d'agneau au zeste de citron
Suivez la recette de base, en ajoutant au mélange d'épices 1 c. à s. de zeste de citron râpé.

Variantes

Cuisses de poulet tandoori

Recette de base p. 74

Cuisses de poulet tandoori au citron
Suivez la recette de base, en ajoutant au mélange d'épices 1 c. à s. de zeste de citron râpé.

Cuisses de poulet tandoori à la menthe
Suivez la recette de base, en ajoutant au mélange d'épices 1 c. à s. de menthe séchée.

Cuisses de poulet tandoori au fenouil
Suivez la recette de base, en ajoutant au mélange d'épices 1 c. à s. de graines de fenouil moulues.

Cuisses de poulet tandoori aux feuilles de curry
Suivez la recette de base, en ajoutant au mélange d'épices 1 c. à s. de feuilles de curry émiettées.

Variantes

Shashlik de paneer

Recette de base p. 76

Shashlik de poulet
Suivez la recette de base, en remplaçant le paneer par 450 g (1 lb) de blanc de poulet coupé en dés. Ajustez le temps de cuisson.

Shashlik de champignons
Suivez la recette de base, en remplaçant le paneer par 250 g (8 oz) de petits champignons de Paris. Ajustez le temps de cuisson.

Shashlik de pomme de terre
Suivez la recette de base, en remplaçant le paneer par 350 g (11,5 oz) de petites pommes de terre bouillies. Ajustez le temps de cuisson.

Shashlik de chou-fleur
Suivez la recette de base, en remplaçant le paneer par 175 g (6 oz) de fleurettes de chou-fleur. Ajustez le temps de cuisson.

Poulet

Si vous êtes pressé, privilégiez le poulet, qui offre l'avantage de cuire rapidement. En outre, cette viande blanche s'imprègne à la perfection des saveurs des épices indiennes. Exotisme assuré !

Poulet tikka masala

Pour 4 personnes

Régalez-vous de cette version modernisée d'un grand classique, qui figure à la carte de la plupart des restaurants indiens.

250 g (1 tasse) de yogourt nature, entier ou allégé, fouetté jusqu'à consistance lisse
1 c. à t. d'ail, haché
1 c. à t. de gingembre, haché
½ c. à t. de piment rouge en poudre
½ c. à t. d'amchur
1 c. à t. de garam masala
Sel, au goût
450 g (1 lb) de blanc de poulet, désossé et coupé en dés de 2,5 cm (1 po) de côté
2 c. à s. d'huile
225 g (7,5 oz) de tomate fraîche, en purée
2 c. à s. de pâte de tomates
1 c. à t. de noix de cajou, broyées
1 c. à t. de kasoori methi

Dans un grand saladier, mélangez le yogourt, l'ail, le gingembre, le piment, l'amchur, le garam masala et le sel. Ajoutez-y les dés de poulet, remuez bien et laissez mariner 1 h environ au réfrigérateur.

Dans une grande poêle à fond épais, faites chauffer l'huile et mettez-y le poulet à revenir avec sa marinade. Laissez cuire 5 à 8 min, en remuant de temps à autre. Lorsque la viande commence à se raffermir et la marinade à réduire, incorporez la purée et la pâte de tomates, les noix de cajou et le kasoori methi. Poursuivez la cuisson, à couvert, encore 12 à 15 min. Rectifiez l'assaisonnement à votre convenance.

Voir variantes p. 102

Curry de poulet grand-mère

Pour 4 personnes

Un dîner de dernière minute ? Optez pour un curry, que vous accompagnerez de riz blanc ou de *roti*, sorte de pain indien servi chaud.

2 c. à s. d'huile
1 bâton de cannelle de 5 cm (2 po) de long
1 ou 2 feuilles de laurier, séchées
5 ou 6 clous de girofle
5 ou 6 grains de poivre noir
3 ou 4 gousses de cardamome verte, légèrement écrasées
1 c. à t. de graines de cumin
1 gros oignon, finement émincé
1 c. à s. d'ail, haché
1 c. à s. de gingembre, haché
¼ de c. à t. de curcuma en poudre
½ c. à t. de piment rouge en poudre
1 c. à t. de cumin en poudre
1 c. à t. de coriandre moulue
½ c. à t. de garam masala
2 tomates moyennes, finement concassées
125 g (½ tasse) de yogourt nature, entier ou allégé, fouetté jusqu'à consistance lisse
2 blancs de poulet (450 g - 1lb), coupés en dés
Sel, au goût
Feuilles de coriandre fraîche, finement ciselées

Dans une grande poêle à fond épais, faites revenir à l'huile la cannelle, le laurier, le girofle, le poivre et la cardamome. Dès que le mélange crépite, ajoutez-y le cumin et l'oignon. Quand ce dernier est tendre et rosé, incorporez l'ail et le gingembre. Poursuivez la cuisson 1 à 2 min.

Dès que le mélange est odorant, ajoutez-y le reste des épices. Faites revenir 1 min environ, puis incorporez les tomates concassées. Laissez mijoter ; les tomates doivent commencer à fondre et un filet d'huile doit se former sur le pourtour de la poêle.

Baissez alors le feu et incorporez délicatement le yogourt fouetté à la préparation, de manière à obtenir une sauce lisse et épaisse.

Ajoutez-y les dés de poulet. Mouillez avec un peu d'eau jusqu'à obtenir une sauce de la consistance désirée. Salez à votre convenance et laissez mijoter 10 à 15 min à feu doux, jusqu'à ce que le poulet soit parfaitement cuit.

Parsemez la préparation de coriandre ciselée et servez très chaud.

Voir variantes p. 103

Curry vert de poulet

Pour 4 personnes

On n'utilise que très rarement la coriandre comme ingrédient de base. Pourtant, le résultat est concluant : le curry vert est merveilleusement parfumé et savoureux.

30 g (1 oz) de feuilles de coriandre fraîche, grossièrement hachées
2 c. à s. d'huile
1 c. à t. de graines de cumin
1 petit oignon, finement émincé
1 c. à t. d'ail, haché
1 c. à t. de gingembre, haché
½ c. à t. de piment rouge en poudre
½ c. à t. de coriandre moulue
½ c. à t. de garam masala
1 c. à t. de cumin en poudre
125 g (½ tasse) de yogourt nature, entier ou allégé, fouetté jusqu'à consistance lisse
450 g (1 lb) de blanc de poulet, coupé en lamelles de ½ cm (3/16 po) d'épaisseur
Sel, au goût

Dans le bol d'un robot électrique, mixez les feuilles de coriandre jusqu'à obtention d'une pâte lisse. Réservez. Dans une grande poêle à fond épais, faites chauffer l'huile et mettez-y les graines de cumin, l'oignon, l'ail et le gingembre à revenir.

Dès que l'oignon est tendre, ajoutez-y le piment, la coriandre moulue, le garam masala et le cumin en poudre. Après un petit moment, incorporez la pâte de coriandre. Mélangez jusqu'à obtention d'un ensemble homogène. Ajoutez le yogourt et poursuivez la cuisson 1 à 2 min.

Incorporez alors les dés de poulet. Mouillez avec un peu d'eau, jusqu'à obtenir une sauce de la consistance désirée, puis portez à ébullition à feu doux. Salez et laissez mijoter, à découvert, 6 à 8 min ; le poulet doit être tendre à souhait.

Voir variantes p. 104

Poulet kadhai

Pour 4 personnes

Cousin germain du wok chinois, le *kadhai* est une casserole ronde et profonde, munie de manches circulaires. C'est un instrument indispensable pour cuisiner à l'indienne. Le poulet kadhai est une variante plus sèche du curry de poulet. Vous l'accompagnerez de préférence de pains indiens traditionnels, ou *rotis*.

2 c. à s. d'huile
1 c. à t. de graines de cumin
1 c. à t. de graines de coriandre
1 oignon moyen, haché
1 c. à s. de gingembre, haché
½ c. à t. de piment rouge en poudre
¼ de c. à t. de curcuma en poudre
1 c. à t. de coriandre moulue
¼ de c. à t. de garam masala
450 g (1 lb) de blanc de poulet, désossé et coupé en lamelles de ½ cm (3/16 po) d'épaisseur
1 grosse tomate, concassée
Sel, au goût
2 c. à s. de feuilles de coriandre fraîche, finement ciselées

Dans un grand wok, faites chauffer l'huile et mettez-y les graines de cumin et de coriandre à revenir. Dès que les épices commencent à crépiter, ajoutez-y l'oignon et le gingembre. Lorsque l'oignon est tendre, incorporez le piment et le curcuma, la coriandre moulue et le garam masala.

Après quelques minutes de cuisson, ajoutez le poulet. Faites revenir le tout en remuant soigneusement, afin que la viande soit bien enrobée du mélange d'épices.

Incorporez ensuite la tomate concassée. Salez à votre convenance et poursuivez la cuisson, à couvert, 5 à 6 min. Parsemez le plat de coriandre ciselée avant de servir.

Voir variantes p. 105

Curry de poulet aux pois chiches

Pour 4 personnes

Ce plat copieux convient parfaitement pour les dîners d'hiver.

2 c. à s. d'huile
1 gros oignon, finement émincé
1 c. à s. de gingembre, finement émincé
1 c. à s. d'ail, finement émincé
1 c. à s. de piments verts, finement émincés
1/4 de c. à t. de piment rouge en poudre
1/4 de c. à t. de curcuma en poudre
1/4 de c. à t. de cumin en poudre
1 c. à t. de coriandre moulue
1/2 c. à t. de garam masala
125 g (1/2 tasse) de yogourt nature, entier ou allégé, fouetté jusqu'à consistance lisse
450 g (1 lb) de blanc de poulet, désossé et coupé en dés de 2,5 cm (1 po) de côté
150 g (5 oz) de pois chiches cuits, frais ou en conserve, rincés et égouttés
1 c. à s. de kasoori methi
Sel, au goût

Dans une casserole, faites chauffer l'huile et mettez-y l'oignon, le gingembre, l'ail et les piments verts à revenir. Dès que le mélange commence à dorer, ajoutez-y le piment rouge, le curcuma, le cumin, la coriandre et le garam masala. Après quelques minutes de cuisson, incorporez délicatement le yogourt et remuez jusqu'à obtention d'un ensemble homogène.

Ajoutez ensuite les dés de poulet et les pois chiches, et mélangez bien. Mouillez avec de l'eau, jusqu'à obtenir une sauce de la consistance désirée. Laissez cuire, à couvert, 10 à 12 min.

Parsemez de kasoori methi, salez, puis laissez cuire, à couvert, encore 5 à 7 min.

Voir variantes p. 106

Poulet masala

Pour 4 personnes

On entend par « masala » un mélange d'épices qui n'est pas particulièrement relevé ou pimenté, mais dont les différentes composantes confèrent une extraordinaire complexité aromatique à cette préparation. Laquelle s'accompagnera à merveille d'un riz pilaf et d'un peu de raïta.

2 c. à s. d'huile
1 c. à t. de graines de cumin
1 oignon moyen, finement émincé
1 ou 2 piments verts, non épépinés, finement émincés
½ c. à t. de piment rouge en poudre
½ c. à t. de cumin en poudre
¼ de c. à t. de curcuma en poudre
1 c. à s. de coriandre moulue
200 g (6,5 oz) de tomates, concassées
450 g (1 lb) de blanc de poulet, désossé et coupé en dés de 2,5 cm (1 po) de côté
½ c. à t. de garam masala
Sel, au goût
Feuilles de coriandre fraîche, finement ciselées

Dans une poêle, faites chauffer l'huile et mettez-y les graines de cumin à revenir. Dès qu'elles commencent à crépiter, ajoutez-y l'oignon et le piment vert.

Lorsque l'oignon est doré, incorporez le piment rouge, le cumin, le curcuma, la coriandre moulue et les tomates. Laissez mijoter quelques instants. Quand les tomates commencent à fondre, ajoutez le poulet et laissez cuire, à couvert, 8 à 10 min.

Parsemez la préparation de garam masala, salez et poursuivez la cuisson, à couvert, encore 5 à 6 min ; le poulet doit être tendre. Parsemez de coriandre ciselée avant de servir.

Voir variantes p. 107

Curry de poulet à la mangue

Pour 4 personnes

L'Inde est réputée pour l'abondance et la qualité de ses mangues. Ce fruit apporte une délicieuse touche de fraîcheur à ce curry classique.

2 c. à s. d'huile
1 oignon moyen, finement émincé
1 ou 2 piments rouges, non épépinés, finement émincés
1 c. à t. de gingembre, haché
¼ de c. à t. de curcuma en poudre
½ c. à t. de piment rouge en poudre
½ c. à t. de cumin en poudre
½ c. à t. de coriandre moulue
450 g (1 lb) de blanc de poulet, désossé et coupé en petits dés
2 grosses mangues, coupées en dés
Sel, au goût
Feuilles de coriandre fraîche, finement ciselées

Dans un grand wok antiadhésif, faites chauffer l'huile et mettez-y l'oignon, le piment frais et le gingembre à revenir.

Dès que le mélange est bien doré, ajoutez-y le curcuma, le piment en poudre, le cumin et la coriandre moulue. Faites revenir quelques instants, puis incorporez le poulet. Remuez soigneusement, pour bien enrober la viande du mélange d'épices.

Ajoutez ensuite la mangue. Salez la préparation, puis mouillez-la avec de l'eau, jusqu'à obtention d'une sauce de la consistance désirée. Laissez mijoter, à couvert, 8 à 10 min. Si le curry se dessèche, allongez la sauce avec un peu d'eau et portez de nouveau le tout à ébullition. Garnissez de coriandre ciselée et servez chaud.

Voir variantes p. 108

Curry de poulet au lait de coco

Pour 4 personnes

Ce plat est généralement servi à l'occasion de mariages ou d'autres cérémonies. Il doit sa texture et sa complexité aromatique à la symbiose entre les épices et le lait de coco crémeux.

2 c. à s. d'huile
5 ou 6 feuilles de curry, fraîches ou séchées
1 ou 2 piments rouges secs
1 oignon moyen, émincé
1 c. à s. d'ail, haché
1 c. à t. de coriandre moulue
1 c. à t. de cumin en poudre
¼ de c. à t. de curcuma en poudre
25 cl (1 tasse) de lait de coco
450 g (1 lb) de blanc de poulet, désossé et coupé en dés de 2,5 cm (1 po) de côté
Sel et poivre, au goût

Dans une casserole, faites chauffer l'huile et mettez-y les feuilles de curry et les piments secs à revenir. Dès que le mélange est odorant, ajoutez-y l'oignon et l'ail. Après quelques minutes de cuisson – les oignons doivent être tendres et rosés –, incorporez la coriandre moulue, le cumin et le curcuma.

Faites revenir quelques instants, puis mouillez avec le lait de coco. Portez la sauce à ébullition, puis plongez-y les dés de poulet.

Salez et poivrez, puis laissez mijoter, à couvert, 10 à 12 min ; la viande doit alors être cuite. Si la préparation se dessèche trop, allongez la sauce avec un peu d'eau jusqu'à obtention de la consistance désirée.

Voir variantes p. 109

Variantes

Poulet tikka masala

Recette de base p. 87

Paneer tikka masala
Suivez la recette de base, en remplaçant le poulet par 250 g (8 oz) de paneer, coupé en dés. Réduisez le temps de cuisson de 5 min.

Champignons tikka masala
Suivez la recette de base, en remplaçant le poulet par 250 g (8 oz) de champignons de Paris. Réduisez le temps de cuisson de 5 min.

Chou-fleur tikka masala
Suivez la recette de base, en remplaçant le poulet par 350 g (11,5 oz) de fleurettes de chou-fleur. Réduisez le temps de cuisson de 5 min.

Agneau tikka masala
Suivez la recette de base, en remplaçant le poulet par 450 g (1 lb) d'agneau, désossé et coupé en dés. Comptez 10 min de cuisson supplémentaires.

Variantes

Curry de poulet grand-mère

Recette de base p. 88

Curry de poulet à la pomme de terre
Suivez la recette de base, en ajoutant à la préparation, en même temps que le poulet, 2 pommes de terre moyennes, pelées et coupées en quatre.

Curry de légumes grand-mère
Suivez la recette de base, en remplaçant le poulet par 350 g (11,5 oz) d'un mélange de légumes (carottes, petits pois, chou-fleur, champignons, pommes de terre) coupés en dés.

Curry d'œufs grand-mère
Suivez la recette de base, en remplaçant le poulet par 6 œufs durs.

Curry d'agneau grand-mère
Suivez la recette de base, en remplaçant le poulet par 450 g (1 lb) d'agneau, désossé et coupé en dés. Comptez 10 min de cuisson supplémentaires.

Variantes

Curry vert de poulet

Recette de base p. 90

Curry vert aux œufs
Suivez la recette de base, en remplaçant le poulet par 6 œufs durs, coupés en deux. Réduisez le temps de cuisson de 5 min.

Curry vert de poisson
Suivez la recette de base, en remplaçant le poulet par 450 g (1 lb) de poisson blanc à chair ferme, coupé en dés. Réduisez le temps de cuisson de 5 min.

Curry vert de crevettes
Suivez la recette de base, en remplaçant le poulet par 500 g (1,1 lb) de crevettes roses, décortiquées et nettoyées. Réduisez le temps de cuisson de 5 min.

Curry vert d'aubergines
Découpez 6 à 8 petites aubergines, non pelées, en dés de 2,5 cm (1 po) de côté. Dans une poêle, faites chauffer l'huile et mettez-y les dés d'aubergine à revenir ; ils doivent être bien dorés. Suivez la recette de base, en remplaçant le poulet par les dés d'aubergine frits. Réduisez le temps de cuisson de 5 min.

Variantes

Poulet kadhai

Recette de base p. 93

Paneer kadhai
Suivez la recette de base, en remplaçant le poulet par 250 g (8 oz) de paneer, coupé en dés. Réduisez le temps de cuisson de 5 min.

Crevettes kadhai
Suivez la recette de base, en remplaçant le poulet par 450 g (1 lb) de crevettes roses, décortiquées et nettoyées. Réduisez le temps de cuisson de 5 min.

Champignons kadhai
Suivez la recette de base, en remplaçant le poulet par 250 g (8 oz) de petits champignons de Paris. Réduisez le temps de cuisson de 5 min.

Poisson kadhai
Suivez la recette de base, en remplaçant le poulet par 450 g (1 lb) de poisson blanc à chair ferme, coupé en dés. Réduisez le temps de cuisson de 5 min.

Pommes de terre kadhai
Suivez la recette de base, en remplaçant le poulet par 350 g (11,5 oz) de pommes de terre, coupées en dés. Réduisez le temps de cuisson de 5 min.

Variantes

Curry de poulet aux pois chiches

Recette de base p. 94

Curry de pois chiches aux pommes de terre
Suivez la recette de base, en remplaçant le poulet par 350 g (11,5 oz) de pommes de terre, coupées en dés. Réduisez le temps de cuisson de 5 min.

Curry de poulet aux haricots rouges
Suivez la recette de base, en remplaçant les pois chiches par 150 g (2/3 tasse) de haricots rouges cuits. Réduisez le temps de cuisson de 5 min.

Curry de poulet aux épinards
Suivez la recette de base, en remplaçant les pois chiches par 60 g (2 oz) de pousses d'épinards, lavées et hachées. Réduisez le temps de cuisson de 5 min.

Curry de pois chiches au paneer
Suivez la recette de base, en remplaçant le poulet par 250 g (8 oz) de paneer, coupé en dés. Réduisez le temps de cuisson de 5 min.

Variantes

Poulet masala

Recette de base p. 96

Œufs masala
Suivez la recette de base, en remplaçant le poulet par 6 œufs durs. Réduisez le temps de cuisson de 5 min.

Crevettes masala
Suivez la recette de base, en remplaçant le poulet par 500 g (1,1 lb) de crevettes roses, décortiquées et nettoyées. Réduisez le temps de cuisson de 5 min.

Poisson masala
Suivez la recette de base, en remplaçant le poulet par 450 g (1 lb) de poisson blanc à chair ferme, coupé en dés. Réduisez le temps de cuisson de 5 min.

Aubergines masala
Suivez la recette de base, en remplaçant le poulet par 250 g (8 oz) d'aubergines non pelées, coupées en dés. Poursuivez en respectant les instructions de la recette de base.

Variantes

Curry de poulet à la mangue

Recette de base p. 99

Curry de crevettes à la mangue
Suivez la recette de base, en remplaçant le poulet par 450 g (1 lb) de crevettes roses, décortiquées et nettoyées. Réduisez le temps de cuisson de 5 min.

Curry de poisson à la mangue
Suivez la recette de base, en remplaçant le poulet par 450 g (1 lb) de poisson blanc à chair ferme, coupé en dés. Réduisez le temps de cuisson de 5 min.

Curry de poivron à la mangue
Suivez la recette de base, en remplaçant le poulet par 175 g (6 oz) de poivrons verts et 175 g (6 oz) de poivrons rouges, épépinés et coupés en dés. Réduisez le temps de cuisson de 5 min.

Curry de poulet au lait de coco

Recette de base p. 100

Curry d'agneau au lait de coco
Suivez la recette de base, en remplaçant le poulet par 450 g (1 lb) d'agneau, coupé en dés. Augmentez le temps de cuisson de 10 min.

Curry de crevettes au lait de coco
Suivez la recette de base, en remplaçant le poulet par 450 g (1 lb) de crevettes roses, décortiquées et nettoyées. Réduisez le temps de cuisson de 5 min.

Curry de légumes au lait de coco
Suivez la recette de base, en remplaçant le poulet par 350 g (11,5 oz) de légumes (carottes, pommes de terre, haricots verts). Réduisez le temps de cuisson de 5 min.

Curry d'œufs au lait de coco
Suivez la recette de base, en remplaçant le poulet par 6 œufs durs, coupés en deux. Réduisez le temps de cuisson de 5 min.

Agneau

L'agneau est sans doute la viande la mieux mise en valeur par la cuisine indienne. Le plus souvent, il est coupé en dés et mijote assez longuement après avoir été braisé et/ou mariné avec des épices. Il est ainsi d'une exquise tendreté et très parfumé, car imprégné des saveurs des divers ingrédients auxquels il est associé.

Keema matar

Pour 4 personnes

Pour régaler de grandes tablées à petit prix, misez sur la viande hachée *(keema)*. Cette préparation originale, alliant l'agneau et les petits pois *(matar)*, séduira à coup sûr les papilles de vos invités.

2 c. à s. d'huile
1 c. à t. de graines de cumin
1 bâton de cannelle
1 ou 2 feuilles de laurier, séchées
2 gousses de cardamome
1 gros oignon, finement émincé
450 g (1 lb) d'agneau haché
2 tomates moyennes, concassées
½ c. à t. de piment rouge en poudre
1 c. à t. de cumin en poudre
1 c. à t. de coriandre moulue
½ c. à t. de garam masala
150 g (5 oz) de petits pois surgelés
Sel, au goût

Dans une casserole à fond épais, faites chauffer l'huile et mettez-y les graines de cumin, la cannelle, les feuilles de laurier et la cardamome à revenir. Dès que le mélange commence à crépiter, ajoutez-y l'oignon et l'agneau. Faites cuire le tout, en remuant régulièrement.

Lorsque la viande est dorée, incorporez les tomates, le piment rouge, le cumin, la coriandre et le garam masala. Dès que les tomates commencent à fondre, ajoutez les petits pois. Salez la préparation à votre convenance et laissez mijoter, à couvert, 15 à 20 min ; la viande doit être cuite à cœur.

Voir variantes p. 124

Curry d'agneau à la pomme de terre

Pour 4 personnes

L'agneau et la pomme de terre se marient bien. Les braiser ensemble longuement donne toujours d'excellents résultats.

2 c. à s. d'huile
4 ou 5 clous de girofle
2 gousses de cardamome
1 bâton de cannelle
1 gros oignon, finement émincé
1 c. à s. de gingembre, haché
1 c. à s. d'ail, haché
½ c. à t. de piment rouge en poudre
1 c. à s. de coriandre moulue
1 c. à t. de cumin en poudre
½ c. à t. de garam masala
2 tomates moyennes, concassées
900 g (2 lb) d'agneau, non désossé, en morceaux
Sel, au goût
50 à 70 cl (2 à 3 tasses) d'eau
2 pommes de terre moyennes, pelées et coupées en quatre

Dans une poêle, faites chauffer l'huile et mettez-y le girofle, la cardamome, la cannelle et l'oignon à revenir. Lorsque l'oignon est doré, ajoutez-y le gingembre, l'ail, le piment, la coriandre moulue, le cumin et le garam masala.

Après quelques minutes de cuisson, incorporez les tomates. Dès qu'elles commencent à fondre, ajoutez l'agneau. Salez à votre convenance, puis mouillez avec l'eau, jusqu'à obtenir une sauce de la consistance désirée. Laissez mijoter à couvert 40 min environ. Incorporez ensuite les pommes de terre et poursuivez la cuisson, à feu doux et à couvert, 20 min. La viande doit être tendre et les pommes de terre doivent être moelleuses.

Voir variantes p. 125

Agneau aux graines de sésame

Pour 4 personnes

L'agneau requiert une cuisson prolongée ; il est donc préférable de le laisser mijoter à feu doux. Surveillez périodiquement la préparation pour éviter qu'elle se dessèche, en la mouillant avec de l'eau autant que nécessaire.

1 c. à s. de gingembre, haché
1 c. à s. d'ail, haché
½ c. à t. de piment rouge en poudre
½ c. à t. de poivre noir moulu
1 c. à t. de coriandre moulue
450 g (1 lb) d'agneau, désossé et coupé en lamelles de ½ cm (3/16 po) d'épaisseur
2 c. à s. d'huile
5 ou 6 feuilles de curry, fraîches ou séchées
1 petit oignon, finement émincé
Sel, au goût
1 c. à s. de graines de sésame

Mélangez le gingembre, l'ail, le piment, le poivre noir et la coriandre moulue. Frottez l'agneau de cette préparation et laissez-le mariner au moins 1 h au réfrigérateur.

Dans une casserole, faites chauffer l'huile. Mettez-y les feuilles de curry et l'oignon à revenir jusqu'à ce qu'ils soient dorés. Salez la viande, puis ajoutez-la au mélange avec sa marinade, en mouillant la préparation avec un peu d'eau si elle a tendance à accrocher au fond de la casserole. Laissez mijoter, à couvert, 20 à 25 min ; l'agneau doit être tendre et cuit à cœur.

Parsemez de graines de sésame et servez sans attendre.

Voir variantes p. 126

Agneau au poivre

Pour 4 personnes

Les Indiens du Sud agrémentent souvent les viandes de poivre noir et de feuilles de curry. Ici, le poivre apporte à l'agneau une délicieuse petite note fumée, tandis que l'acidité du yogourt relève agréablement le tout.

2 c. à s. d'huile
1 c. à t. de graines de cumin
1 c. à t. de graines de coriandre
1 c. à t. de graines de fenouil
5 ou 6 feuilles de curry, fraîches ou séchées
1 oignon moyen, finement émincé
1 c. à s. d'ail, finement émincé
450 g (1 lb) d'agneau, désossé et coupé en dés
1 c. à s. de poivre noir, fraîchement moulu
125 g (1/2 tasse) de yogourt nature, entier ou allégé, fouetté jusqu'à consistance lisse
Sel, au goût
Feuilles de coriandre fraîche, finement ciselées
Quartiers de citron

Dans une casserole à fond épais, faites chauffer l'huile et mettez-y les graines de cumin, de coriandre et de fenouil à revenir, en même temps que les feuilles de curry. Dès que le mélange commence à crépiter, incorporez-y l'oignon et l'ail.

Lorsque l'oignon est doré, ajoutez la viande, le poivre et le yogourt. Remuez soigneusement et laissez mijoter 20 à 25 min, en remuant de temps en temps ; la viande doit être tendre et cuite à cœur. Mouillez avec un peu d'eau si la préparation se dessèche et a tendance à accrocher au fond de la casserole. Salez, puis poursuivez la cuisson encore 5 à 10 min.

Parsemez de coriandre fraîche ciselée. Servez accompagné de quartiers de citron, pour que vos convives puissent, à leur convenance, agrémenter leur plat d'un trait de jus de citron.

Voir variantes p. 127

Agneau à l'aigre-douce

Pour 4 personnes

En dépit des apparences, cet agneau à l'aigre-douce est extrêmement simple à réaliser. Proposez-le à vos invités, qui seront persuadés que vous vous êtes donné le plus grand mal pour les régaler !

1 c. à s. de gingembre, haché
½ c. à t. de piment rouge en poudre
½ c. à t. de poivre noir moulu
1 c. à t. de coriandre moulue
1 c. à s. d'ail, haché
2 c. à s. de miel
Sel, au goût
450 g (1 lb) d'agneau, désossé et coupé en lamelles de 2,5 cm (1 po) d'épaisseur
2 c. à s. d'huile
2 c. à s. de jus de citron frais

Mélangez les épices, le miel et le sel. Frottez l'agneau de cette préparation et laissez-le mariner 1 h environ au réfrigérateur.

Dans une casserole antiadhésive, faites chauffer l'huile et mettez-y la viande et sa marinade à revenir à feu moyen, en remuant de temps à autre.

Lorsque la viande est cuite, arrosez-la d'un trait de citron et servez bien chaud.

Voir variantes p. 128

Curry de koftas

Pour 4 personnes

Les koftas sont des boulettes de viande hachée. Préparez-en toujours quelques-unes de plus, que vous congèlerez crues. À l'occasion, passez-les au four et servez-les accompagnées d'un chutney doux. Peut-on rêver amuse-bouche plus savoureux ?

450 g (1 lb) d'agneau haché
2 c. à s. d'oignon, émincé
2 c. à s. de feuilles de coriandre fraîche, finement ciselées
1 c. à s. de chapelure
½ c. à t. de piment rouge en poudre
½ c. à t. de garam masala
Sel, au goût
2 c. à s. d'huile
1 gros oignon, finement émincé
1 c. à t. d'ail, haché
1 c. à t. de gingembre, haché
2 tomates moyennes, concassées
½ c. à t. de cumin en poudre
1 c. à t. de coriandre moulue
250 g (1 tasse) de yogourt nature, entier ou allégé, fouetté jusqu'à consistance lisse

Dans un grand saladier, mélangez l'agneau avec l'oignon, la coriandre ciselée, la chapelure, le piment rouge, le garam masala et du sel. Façonnez le tout en 24 boulettes. Réservez.

Dans une grande casserole à fond épais, faites chauffer l'huile et mettez-y l'oignon, l'ail et le gingembre à revenir. Dès que l'oignon est tendre et le mélange bien doré, ajoutez-y les tomates, le cumin, la coriandre, le yogourt et du sel. Remuez, puis portez à ébullition.

Plongez délicatement les boulettes dans la sauce et laissez mijoter, à couvert, 15 à 20 min ; la viande doit être bien cuite. Mouillez avec un peu d'eau si la préparation se dessèche et a tendance à accrocher au fond de la casserole.

Voir variantes p. 129

Agneau aux épinards

Pour 4 personnes

En Inde, ce plat est généralement préparé en hiver, à la pleine saison des épinards et d'autres légumes verts.

2 c. à s. d'huile
2 gousses de cardamome
1 bâton de cannelle
1 gros oignon, finement émincé
1 c. à s. de gingembre, haché
1 c. à s. d'ail, haché
½ c. à t. de piment en poudre
1 c. à s. de coriandre moulue
1 c. à t. de cumin en poudre
½ c. à t. de garam masala
500 g (2 tasses) de yogourt nature, entier ou allégé, fouetté jusqu'à consistance lisse
900 g (2 lb) d'agneau (gigot ou épaule), non désossé et coupé en dés de 3,5 cm (2,5 po)
60 g (2 oz) d'épinards frais, finement hachés
Sel, au goût

Dans une grande casserole, faites chauffer l'huile et mettez-y la cardamome, la cannelle et l'oignon à revenir. Lorsque l'oignon est bien doré, ajoutez le gingembre, l'ail, le piment, la coriandre moulue, le cumin et le garam masala.

Après quelques instants, incorporez le yogourt. Laissez mijoter à feu doux quelques minutes, en remuant régulièrement. Plongez les dés d'agneau dans la préparation. Mouillez ensuite avec un peu d'eau, puis laissez mijoter à feu doux, à couvert, 40 min environ. Ajoutez alors les épinards, puis salez à votre convenance. Laissez cuire, à couvert, encore une vingtaine de minutes ; la viande doit être tendre et cuite à cœur.

Voir variantes p. 130

Agneau bhuna

Pour 4 personnes

Pour pleinement apprécier la complexité aromatique de ce délicieux curry, servez-le avec un accompagnement au goût neutre, type riz blanc nature. Le bhuna est une préparation particulière, consistant à faire braiser ensemble et doucement tous les ingrédients. Ainsi, les différentes saveurs se fondent à la cuisson, pour mieux s'exprimer dans l'assiette.

2 c. à s. d'huile
1 c. à t. de graines de cumin
1 gros oignon, finement émincé
900 g (2 lb) d'agneau, désossé, coupé en dés de 2,5 cm (1 po) de côté
2 ou 3 piments verts, non épépinés, finement émincés
1 c. à s. de gingembre, haché
1 c. à s. d'ail, haché
1/4 de c. à t. de curcuma en poudre
1/2 c. à t. de piment rouge en poudre
1/4 de c. à t. de garam masala
1 c. à t. de coriandre moulue
2 c. à s. de pâte de tomates
Sel, au goût
Feuilles de coriandre fraîche, finement ciselées

Dans une poêle, faites chauffer l'huile et mettez-y les graines de cumin à revenir. Dès qu'elles commencent à crépiter, incorporez-y l'oignon. Lorsque celui-ci est tendre, ajoutez la viande, les piments verts, le gingembre et l'ail.

Après quelques minutes de cuisson, saupoudrez de curcuma, de piment, de garam masala et de coriandre moulue. Mélangez bien. Dès que la viande commence à dorer, incorporez la pâte de tomates. Salez à votre convenance et faites braiser quelques instants.

Mouillez avec un peu d'eau, puis laissez mijoter, à couvert, 30 à 35 min ; la viande doit être tendre. Parsemez de coriandre fraîche ciselée.

Voir variantes p. 131

Variantes

Keema matar

Recette de base p. 111

Keema aux pommes de terre
Suivez la recette de base, en ajoutant à la préparation 175 g (6 oz) de pommes de terre, finement émincées, en même temps que la viande. Omettez les petits pois.

Keema aux carottes
Suivez la recette de base, en ajoutant à la préparation 150 g (5 oz) de carottes, coupées en fines rondelles, en même temps que la viande. Omettez les petits pois.

Keema aux navets
Suivez la recette de base, en ajoutant à la préparation 150 g (5 oz) de navets blancs, finement émincés, en même temps que la viande. Omettez les petits pois.

Keema aux pois chiches
Suivez la recette de base, en ajoutant à la préparation 150 g (5 oz) de pois chiches cuits, en même temps que la viande. Omettez les petits pois. Si vous utilisez des pois chiches en conserve, rincez-les et égouttez-les soigneusement avant utilisation. Ne salez pas le plat.

Variantes

Curry d'agneau à la pomme de terre

Recette de base p. 112

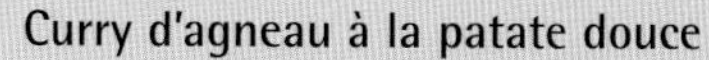

Curry d'agneau à la patate douce
Suivez la recette de base, en remplaçant les pommes de terre par 300 g (10 oz) de patate douce.

Curry d'agneau à la citrouille
Suivez la recette de base, en remplaçant les pommes de terre par 300 g (10 oz) de citrouille.

Curry d'agneau aux abricots secs
Suivez la recette de base, en remplaçant les pommes de terre par 150 g (1 tasse) d'abricots secs.

Curry d'agneau aux lentilles corail
Suivez la recette de base, en remplaçant les pommes de terre par 400 g (2 tasses) de lentilles corail. Comptez 5 min de cuisson supplémentaires.

Variantes

Agneau aux graines de sésame

Recette de base p. 115

Poulet aux graines de sésame
Suivez la recette de base, en remplaçant l'agneau par 450 g (1 lb) de blanc de poulet, coupé en dés. Réduisez le temps de cuisson de 5 min.

Champignons aux graines de sésame
Suivez la recette de base, en remplaçant l'agneau par 125 g (4 oz) de petits champignons de Paris. Réduisez le temps de cuisson de 5 min.

Crevettes aux graines de sésame
Suivez la recette de base, en remplaçant l'agneau par 450 g (1 lb) de crevettes roses, décortiquées et nettoyées. Réduisez le temps de cuisson de 5 min.

Pousses de maïs aux graines de sésame
Suivez la recette de base, en remplaçant l'agneau par 500 g (1,1 lb) de pousses de maïs, rincées et égouttées. Réduisez le temps de cuisson de 5 min.

Variantes

Agneau au poivre

Recette de base p. 116

Poulet au poivre
Suivez la recette de base, en remplaçant l'agneau par 450 g (1 lb) de blanc de poulet, coupé en dés. Réduisez le temps de cuisson de 5 min.

Champignons au poivre
Suivez la recette de base, en remplaçant l'agneau par 250 g (8 oz) de petits champignons de Paris. Réduisez le temps de cuisson de 5 min.

Crevettes au poivre
Suivez la recette de base, en remplaçant l'agneau par 450 g (1 lb) de crevettes roses, décortiquées et nettoyées. Réduisez le temps de cuisson de 5 min.

Pousses de maïs au poivre
Suivez la recette de base, en remplaçant l'agneau par 500 g (1,1 lb) de pousses de maïs, rincées et égouttées. Réduisez le temps de cuisson de 5 min.

Variantes

Agneau à l'aigre-douce

Recette de base p. 118

Poulet à l'aigre-douce
Suivez la recette de base, en remplaçant l'agneau par 450 g (1 lb) de blanc de poulet, finement émincé. Réduisez le temps de cuisson de 5 min.

Champignons à l'aigre-douce
Suivez la recette de base, en remplaçant l'agneau par 250 g (8 oz) de petits champignons de Paris. Réduisez le temps de cuisson de 5 min.

Crevettes à l'aigre-douce
Suivez la recette de base, en remplaçant l'agneau par 450 g (1 lb) de crevettes roses, décortiquées et nettoyées. Réduisez le temps de cuisson de 5 min.

Pousses de maïs à l'aigre-douce
Suivez la recette de base, en remplaçant l'agneau par 500 g (1,1 lb) de pousses de maïs en conserve, soigneusement rincées et égouttées avant utilisation. Ne salez pas la préparation. Réduisez le temps de cuisson de 5 min.

Variantes

Curry de koftas

Recette de base p. 120

Curry de koftas à la menthe
Suivez la recette de base, en ajoutant à la viande hachée 2 c. à s. de feuilles de menthe finement ciselées.

Curry de koftas aux graines de fenouil
Suivez la recette de base, en ajoutant à la viande hachée 1 c. à s. de graines de fenouil moulues.

Curry de koftas au gingembre
Suivez la recette de base, en utilisant 2 c. à t. de gingembre haché.

Curry de koftas de poulet
Suivez la recette de base, en remplaçant l'agneau haché par 450 g (1 lb) de poulet haché.

Variantes

Agneau aux épinards

Recette de base p. 121

Agneau au kasoori methi
Suivez la recette de base, en remplaçant les épinards par 60 g (2 oz) de kasoori methi.

Agneau au chou frisé
Suivez la recette de base, en remplaçant les épinards par 200 g (6,5 oz) de chou frisé, finement émincé.

Agneau aux navets
Suivez la recette de base, en remplaçant les épinards par 300 g (10 oz) de navets blancs, finement émincés.

Agneau à la betterave
Suivez la recette de base, en remplaçant les épinards par 300 g (10 oz) de betterave, finement émincée.

Agneau aux carottes
Suivez la recette de base, en remplaçant les épinards par 300 g (10 oz) de carottes, coupées en fines rondelles.

Agneau bhuna

Recette de base p. 123

Agneau bhuna aux poivrons
Suivez la recette de base, en ajoutant à la préparation 175 g (6 oz) de poivrons, épépinés et émincés, en même temps que la pâte de tomates.

Agneau bhuna au chou
Suivez la recette de base, en ajoutant à la préparation 100 g (3,5 oz) de chou, finement émincé, en même temps que la pâte de tomates.

Agneau bhuna aux épinards
Suivez la recette de base, en ajoutant à la préparation 30 g (1 oz) d'épinards hachés, en même temps que la pâte de tomates.

Poissons et crevettes

Les poissons et les crevettes, qui se prêtent à des préparations aussi multiples que variées, offrent l'avantage de parfaitement assimiler les saveurs des ingrédients auxquels ils sont associés. Les recettes suivantes ont un petit goût de revenez-y... Gourmandise assurée !

Curry de poisson Kerala

Pour 4 personnes

Cette spécialité de la région du Kerala, sur la côte sud-ouest de l'Inde du Sud, marie les saveurs relevées des épices et les rafraîchissants arômes du tamarin.

2 c. à s. d'huile
1 c. à t. de graines de moutarde
7 ou 8 feuilles de curry, fraîches ou séchées
2 ou 3 gousses d'ail, finement émincées
1 oignon moyen, finement émincé
½ c. à t. de piment rouge en poudre
½ c. à t. de coriandre moulue
¼ de c. à t. de curcuma en poudre
1 c. à s. de pâte de tomates
1 c. à t. de pâte de tamarin
2 tomates moyennes, concassées
450 g (1 lb) de filets de poisson blanc à chair ferme, coupés en dés
Environ 25 cl (1 tasse) d'eau
Sel, au goût
Feuilles de coriandre fraîche, finement ciselées

Dans une poêle profonde, faites chauffer l'huile et mettez-y les graines de moutarde et les feuilles de curry à revenir. Dès que le mélange commence à crépiter, ajoutez-y l'ail et l'oignon.

Lorsque l'oignon est doré, incorporez le piment rouge, la coriandre moulue, le curcuma, la pâte de tomates, le tamarin et les tomates concassées. Après quelques minutes de cuisson, quand la tomate commence à fondre, ajoutez les dés de poisson et remuez soigneusement pour bien les enrober du mélange d'épices. Mouillez avec la quantité d'eau nécessaire pour obtenir une sauce de la consistance désirée. Laissez mijoter 15 à 20 min.

Salez à votre convenance. Parsemez de coriandre ciselée avant de servir.

Voir variantes p. 148

Crevettes au gingembre

Pour 4 personnes

Surprenez vos invités avec ces savoureuses crevettes au gingembre, aussi simples et rapides à préparer qu'agréables à déguster !

15 à 20 grosses crevettes (environ 900 g - 2 lb), décortiquées et nettoyées
1 c. à s. de gingembre, finement émincé
½ c. à t. de piment rouge en poudre
¼ de c. à t. de curcuma en poudre
1 c. à s. de pâte de tomates
2 c. à s. de jus de citron frais
Sel, au goût
3 c. à s. d'huile
Oignons verts, finement émincés

Mélangez les crevettes avec le gingembre, le piment rouge, le curcuma, la pâte de tomates, le jus de citron et le sel. Laissez mariner 15 min environ.

Dans une grande poêle antiadhésive, faites chauffer l'huile et mettez-y les crevettes à revenir 5 à 6 min ; elles doivent être croustillantes et uniformément dorées. Parsemez-les d'oignons verts émincés avant de servir.

Voir variantes p. 149

Sambal de crevettes

Pour 4 personnes

Le sambal est un plat en sauce pimenté qui se marie bien avec les dosas instantanés, mais aussi avec le riz blanc nature et une rafraîchissante salade de concombre.

15 à 20 grosses crevettes (environ 900 g - 2 lb), décortiquées et nettoyées
¼ de c. à t. de curcuma en poudre
½ c. à t. d'ail semoule
3 c. à s. d'huile
2 ou 3 gousses d'ail, finement émincées
1 oignon moyen, finement émincé
1 grosse tomate, finement concassée
1 c. à s. de pâte de tomates
½ c. à t. de piment rouge en poudre
½ c. à t. de coriandre moulue
Sel, au goût
Feuilles de coriandre fraîche, finement ciselées
Dosas instantanés (p. 244)

Faites mariner les crevettes avec le curcuma et l'ail semoule 15 min environ. Dans une grande poêle, faites chauffer l'huile et mettez-y les crevettes à revenir. Lorsqu'elles sont uniformément dorées, sortez-les de la poêle et réservez-les.

Dans la même poêle, faites blondir l'ail et l'oignon. Ajoutez-y la tomate fraîche, la pâte de tomates, le piment rouge et la coriandre moulue. Faites braiser quelques instants, en écrasant un peu la tomate ; la préparation doit s'assécher légèrement et libérer un filet d'huile sur le pourtour de la poêle.

Incorporez les crevettes et mélangez pour bien les enrober de sauce. Salez à votre convenance. Poursuivez la cuisson quelques minutes à feu très doux. Garnissez de coriandre ciselée avant de servir chaud, accompagné de dosas instantanés.

Voir variantes p. 150

Curry de poisson au lait de coco

Pour 4 personnes

Ce curry est originaire de l'Inde du Sud, une région réputée autant pour ses fruits de mer que pour ses noix de coco.

2 c. à s. d'huile
5 ou 6 feuilles de curry, fraîches ou séchées
2 ou 3 gousses d'ail, finement émincées
1 petit oignon, finement émincé
¼ de c. à t. de curcuma en poudre
½ c. à t. de piment rouge en poudre
¼ de c. à t. de poivre noir moulu
½ c. à t. de coriandre moulue
50 cl (2 tasses) de lait de coco
450 g (1 lb) de filets de poisson blanc à chair ferme, coupés en dés
1 c. à t. de kasoori methi
Sel, au goût

Dans une poêle, faites chauffer l'huile et mettez-y les feuilles de curry et l'ail à revenir.

Lorsque le mélange commence à crépiter, ajoutez-y l'oignon. Dès que celui-ci est doré, incorporez le curcuma, le piment rouge, le poivre noir et la coriandre moulue. Faites cuire le mélange quelques instants, puis mouillez avec le lait de coco. Portez à ébullition, puis réduisez le feu. Plongez délicatement le poisson et le kasoori methi dans la sauce.. Salez à votre convenance, puis laissez mijoter, à couvert, 10 à 12 min. Veillez à ne pas trop faire cuire le poisson.

Voir variantes p. 151

Poisson frit masala

Pour 4 personnes

Présentez ce délicieux poisson épicé sur un lit de salade garni d'oignon finement émincé. Arrosez-le d'un trait de citron avant de servir. Du pain chaud croustillant fera merveille en accompagnement.

½ c. à t. de piment rouge en poudre
1 c. à s. de coriandre moulue
1 c. à s. de cumin en poudre
½ c. à t. de poivre noir moulu
½ c. à t. d'amchur
¼ de c. à t. de curcuma en poudre
½ c. à t. d'ail semoule
2 c. à s. de jus de citron frais
Sel, au goût
3 à 4 c. à s. d'huile
4 filets de poisson blanc à chair ferme (450 g - 1 lb)

Mélangez toutes les épices et l'ail avec le jus de citron et le sel, jusqu'à former une pâte lisse. Enduisez le poisson de cette mixture et laissez-le mariner 20 à 30 min au réfrigérateur.

Dans une grande poêle, faites chauffer l'huile et mettez-y les filets de poisson à revenir, à feu moyen, 6 à 8 min de chaque côté ; ils doivent être croustillants en surface et cuits à cœur.

Voir variantes p. 152

Poisson au gingembre et au citron vert

Pour 4 personnes

Pour classique qu'elle soit, l'association du gingembre et du citron est toujours réussie – et vivement appréciée. Ce plat aux envoûtantes saveurs acidulées fera le bonheur des petits comme des grands.

1 c. à s. de gingembre, finement émincé
1 pincée de curcuma en poudre
¼ de c. à t. de piment rouge en poudre
¼ de c. à t. d'amchur
Sel, au goût
2 c. à s. de jus de citron vert frais
1 c. à t. d'huile
4 filets de poisson blanc à chair ferme (450 g - 1 lb)

Mélangez tous les ingrédients, hormis le poisson, jusqu'à former une pâte. Enduisez le poisson de cette mixture et laissez-le mariner 15 à 20 min au réfrigérateur.

Préchauffez le four à 340 °F (175 °C). Enveloppez chaque filet de poisson dans une papillote de papier d'aluminium et enfournez pour 15 à 20 min.

Voir variantes p. 153

Crevettes jalfrezi

Pour 4 personnes

Ce plat, dont le nom signifie «sauté sec», ne comprend pas de sauce : les crevettes sont simplement revenues dans un peu d'huile avec un mélange d'épices – délicieux !

2 c. à s. d'huile
1 c. à t. de graines de cumin
1 c. à t. de graines de coriandre
1 c. à s. de gingembre, coupé en julienne
1 oignon moyen, finement émincé
¼ de c. à t. de curcuma en poudre
½ c. à t. de piment rouge en poudre
1 c. à t. de coriandre moulue
¼ de c. à t. d'amchur
1 c. à s. de pâte de tomates
15 à 20 grosses crevettes (environ 900 g - 2 lb), décortiquées et nettoyées
1 grosse tomate, coupée en gros dés
1 poivron vert moyen, épépiné et finement émincé
Sel, au goût
2 c. à s. de feuilles de coriandre fraîche, finement émincées

Dans une grande poêle, faites chauffer l'huile et mettez-y les graines de cumin et de coriandre à revenir. Quand elles commencent à crépiter, ajoutez-y le gingembre et l'oignon. Dès que l'oignon est doré, incorporez le curcuma, le piment, la coriandre moulue et l'amchur.

Après quelques minutes de cuisson, ajoutez la pâte de tomates et remuez bien. Quand la préparation est homogène, ajoutez les crevettes et remuez soigneusement pour bien les imprégner du mélange. Laissez mijoter à feu très doux, pour éviter que le tout ne brûle.

Incorporez ensuite la tomate fraîche et le poivron, salez à votre convenance et poursuivez la cuisson, à couvert, 5 à 10 min, en remuant de temps à autre. Parsemez de coriandre ciselée avant de servir.

Voir variantes p. 154

Poisson au tamarin

Pour 4 personnes

Servez ce plat avec du riz blanc nature. Pour ce qui est des boissons, délaissez les breuvages classiques et surprenez vos hôtes en leur proposant une bonne limonade maison bien fraîche, dont la saveur acidulée se mariera parfaitement avec le tamarin.

2 c. à s. d'huile
½ c. à t. de graines de moutarde
1 c. à t. d'ail, finement émincé
1 oignon moyen, finement émincé
½ c. à t. de piment rouge en poudre
¼ de c. à t. de curcuma en poudre
1 tomate moyenne, concassée
1 c. à t. de pâte de tamarin
450 g (1 lb) de filets de poisson blanc à chair ferme, coupés en dés
1 poivron vert moyen, épépiné et finement émincé
Sel, au goût

Dans une poêle, faites chauffer l'huile et mettez-y les graines de moutarde, l'ail et l'oignon à revenir.

Dès que le mélange est doré, incorporez-y le piment rouge, le curcuma, la tomate et le tamarin.

Après quelques minutes de cuisson à feu doux, quand la tomate commence à fondre, ajoutez le poisson et le poivron vert, puis salez le tout. Faites revenir la préparation à feu moyen, en remuant délicatement pour éviter d'émietter le poisson.

Voir variantes p. 155

Variantes

Curry de poisson Kerala

Recette de base p. 133

Curry de crevettes Kerala

Suivez la recette de base, en remplaçant le poisson par 250 g (8 oz) de crevettes roses, décortiquées et nettoyées.

Curry de poulet Kerala

Suivez la recette de base, en remplaçant le poisson par 260 g (8,5 oz) de poulet, désossé et coupé en petits dés. Comptez 10 min de cuisson supplémentaires.

Curry de légumes Kerala

Suivez la recette de base, en remplaçant le poisson par 300 g (10 oz) de légumes divers (pommes de terre, carottes, chou-fleur, petits pois), coupés en petits dés. Ajustez le temps de cuisson en fonction des légumes choisis.

Curry de paneer Kerala

Suivez la recette de base, en remplaçant le poisson par 450 g (1 lb) de paneer, coupé en petits dés.

Curry d'œufs Kerala

Suivez la recette de base, en remplaçant le poisson par 4 œufs durs, coupés en deux.

Variantes

Crevettes au gingembre

Recette de base p. 134

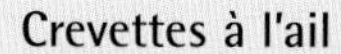

Crevettes à l'ail

Suivez la recette de base, en remplaçant le gingembre par 1 c. à s. d'ail, finement émincé.

Crevettes au tamarin

Suivez la recette de base, en remplaçant le gingembre par 1 c. à t. de pâte de tamarin.

Crevettes au citron

Suivez la recette de base, en remplaçant le gingembre par 1 c. à s. de zeste de citron râpé. Omettez la pâte de tomates.

Crevettes au poivre blanc

Suivez la recette de base, en remplaçant le gingembre par 1 c. à s. de poivre blanc moulu. Omettez la pâte de tomates.

Crevettes aux graines de fenouil

Suivez la recette de base, en remplaçant le gingembre par 1 c. à s. de graines de fenouil moulues. Omettez la pâte de tomates.

Variantes

Sambal de crevettes

Recette de base p. 137

Sambal de poisson
Suivez la recette de base, en remplaçant les crevettes par 450 g (1 lb) de filets de poisson blanc à chair ferme, coupés en dés.

Sambal de poulet
Suivez la recette de base, en remplaçant les crevettes par 450 g (1 lb) de blanc de poulet, désossé et coupé en dés. Comptez 10 min de cuisson supplémentaires.

Sambal de pommes de terre
Suivez la recette de base, en remplaçant les crevettes par 350 g (11,5 oz) de pommes de terre, coupées en dés. Comptez 10 min de cuisson supplémentaires.

Sambal de haricots verts
Suivez la recette de base, en remplaçant les crevettes par 300 g (10 oz) de haricots verts, coupés en tronçons de 2,5 cm (1 po).

Sambal de pousses de maïs
Suivez la recette de base, en remplaçant les crevettes par 500 g (1,2 lb) de pousses de maïs en conserve, rincées et bien égouttées.

Variantes

Curry de poisson au lait de coco

Recette de base p. 138

Curry de crevettes au lait de coco

Suivez la recette de base, en remplaçant le poisson par 250 g (8 oz) de crevettes roses, décortiquées et nettoyées.

Curry d'œufs au lait de coco

Suivez la recette de base, en remplaçant le poisson par 6 œufs durs.

Curry de poulet au lait de coco

Suivez la recette de base, en remplaçant le poisson par 2 blancs de poulet, désossés et coupés en dés. Comptez 10 min de cuisson supplémentaires.

Curry de pommes de terre au lait de coco

Suivez la recette de base, en remplaçant le poisson par 350 g (11,5 oz) de pommes de terre, pelées et coupées en dés. Comptez 10 min de cuisson supplémentaires.

Curry de pois chiches au lait de coco

Suivez la recette de base, en remplaçant le poisson par 150 g (5 oz) de pois chiches cuits. Si vous utilisez des pois chiches en conserve, rincez-les et égouttez-les soigneusement. Ne salez pas la préparation.

Variantes

Poisson frit masala

Recette de base p. 140

Poisson frit à la menthe
Suivez la recette de base, en ajoutant au mélange d'épices 1 c. à s. de feuilles de menthe séchées, émiettées.

Poisson frit aux graines de sésame
Suivez la recette de base, en ajoutant au mélange d'épices 1 c. à s. de graines de sésame.

Poisson frit aux graines de fenouil
Suivez la recette de base, en ajoutant au mélange d'épices 1 c. à s. de graines de fenouil moulues.

Poisson frit au zeste de citron
Suivez la recette de base, en ajoutant au mélange d'épices 1 c. à s. de zeste de citron râpé.

Poisson frit aux feuilles de curry
Suivez la recette de base, en ajoutant au mélange d'épices 2 c. à s. de feuilles de curry séchées, émiettées.

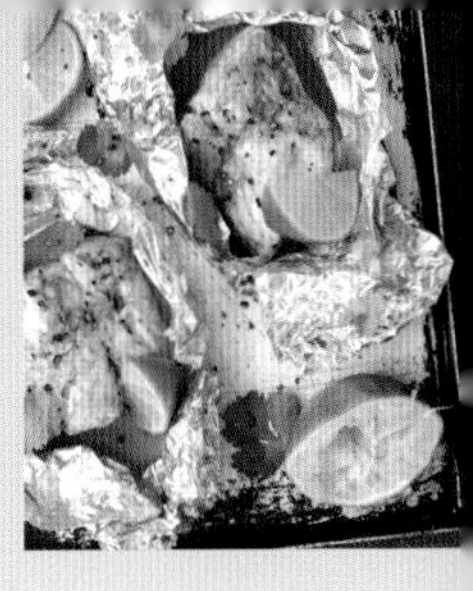

Variantes

Poisson au gingembre et au citron vert

Recette de base p. 143

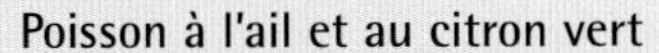

Poisson à l'ail et au citron vert
Suivez la recette de base, en remplaçant le gingembre par 1 c. à s. d'ail, haché.

Poisson à la menthe et au citron vert
Suivez la recette de base, en remplaçant le gingembre par 1 c. à s. de feuilles de menthe fraîche, finement ciselées.

Poisson à l'aneth et au citron vert
Suivez la recette de base, en remplaçant le gingembre par 1 c. à s. d'aneth, ciselé.

Poisson à la coriandre et au citron vert
Suivez la recette de base, en remplaçant le gingembre par 1 c. à s. de feuilles de coriandre fraîche, finement ciselées.

Poisson au poivre et au citron vert
Suivez la recette de base, en remplaçant le gingembre par 1 c. à t. de poivre noir moulu.

Poisson aux graines de fenouil et au citron vert
Suivez la recette de base, en remplaçant le gingembre par 1 c. à t. de graines de fenouil moulues.

Variantes

Crevettes jalfrezi

Recette de base p. 144

Poisson jalfrezi
Suivez la recette de base, en remplaçant les crevettes par 450 g (1 lb) de filets de poisson blanc à chair ferme, coupés en dés.

Poulet jalfrezi
Suivez la recette de base, en remplaçant les crevettes par 450 g (1 lb) de blanc de poulet, désossé et coupé en dés. Comptez 10 min de cuisson supplémentaires.

Paneer jalfrezi
Suivez la recette de base, en remplaçant les crevettes par 250 g (8 oz) de paneer, coupé en dés.

Champignons jalfrezi
Suivez la recette de base, en remplaçant les crevettes par 150 g (5 oz) de champignons de Paris émincés.

Pommes de terre jalfrezi
Suivez la recette de base, en remplaçant les crevettes par 300 g (11,5 oz) de pommes de terre, pelées et coupées en dés. Comptez 10 min de cuisson supplémentaires.

Variantes

Poisson au tamarin

Recette de base p. 147

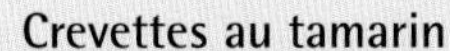

Crevettes au tamarin
Suivez la recette de base, en remplaçant le poisson par 250 g (8 oz) de crevettes roses, décortiquées et nettoyées.

Poulet au tamarin
Suivez la recette de base, en remplaçant le poisson par 450 g (1 lb) de blanc de poulet, désossé et coupé en dés. Comptez 10 min de cuisson supplémentaires.

Paneer au tamarin
Suivez la recette de base, en remplaçant le poisson par 250 g (8 oz) de paneer, coupé en dés.

Pommes de terre au tamarin
Suivez la recette de base, en remplaçant le poisson par 300 g (10 oz) de pommes de terre, coupées en dés. Comptez 10 min de cuisson supplémentaires.

Œufs au tamarin
Suivez la recette de base, en remplaçant le poisson par 4 œufs durs, coupés en deux.

Paneer

Le paneer est un fromage frais et doux, que l'on fabrique en ajoutant du jus de citron à du lait chaud pour le faire tourner. Le caillé est ensuite passé au chinois, pour le débarrasser d'un éventuel excès de petit-lait. Le paneer est vendu sous forme de blocs dans la plupart des épiceries exotiques.

Poivrons farcis au paneer

Pour 4 personnes

Les maîtresses de maison sont bien souvent prises au dépourvu quand elles doivent cuisiner pour des convives végétariens. Ces délicieux poivrons farcis vous seront d'un grand secours.

2 c. à s. d'huile + un peu pour la plaque
1 c. à t. de graines de fenouil
1 c. à t. de graines de coriandre
450 g (1 lb) de paneer, râpé
½ c. à t. de piment rouge en poudre
½ c. à t. de coriandre moulue
1 c. à t. de cumin en poudre
1 c. à t. de chaat masala
Sel, au goût
4 petits poivrons verts, coupés en deux dans la longueur et épépinés

Préchauffez le four à 340 °F (175 °C). Dans une poêle antiadhésive, faites chauffer l'huile et mettez-y les graines de fenouil et de coriandre à revenir.

Lorsque les épices commencent à crépiter, ajoutez-y le paneer et les autres épices. Remuez soigneusement. Laissez mijoter quelques minutes, puis salez à votre convenance.

Huilez légèrement une plaque de cuisson. Garnissez chaque moitié de poivron d'un peu de farce au paneer. Disposez les poivrons farcis sur la plaque, puis enfournez-les pour 15 à 20 min. Servez bien chaud.

Voir variantes p. 167

Sauté de paneer aux petits pois

Pour 4 personnes

Le paneer et les petits pois se marient parfaitement avec les diverses épices de ce curry délicieusement léger.

2 c. à s. d'huile
1 c. à t. de graines de cumin
1 oignon moyen, finement émincé
1 c. à t. d'ail, finement émincé
½ c. à t. de piment rouge en poudre
¼ de c. à t. de curcuma en poudre
½ c. à t. de coriandre moulue
½ c. à t. de garam masala
1 c. à s. de pâte de tomates
450 g (1 lb) de paneer, découpé en petits dés
140 g (4,5 oz) de petits pois surgelés
Sel, au goût

Dans un wok antiadhésif, faites chauffer l'huile et mettez-y le cumin, l'oignon et l'ail à revenir. Quand le mélange est doré, incorporez-y le piment, le curcuma, la coriandre moulue, le garam masala et la pâte de tomates.

Dès que la préparation est odorante, ajoutez le paneer et les petits pois. Salez à votre convenance. Poursuivez la cuisson quelques minutes, en remuant délicatement pour bien mélanger tous les ingrédients.

Voir variantes p. 168

Paneer au piment

Pour 4 personnes

Le paneer cuisant assez rapidement, ce plat peut être réalisé en un tournemain. Pour ne pas abandonner trop longtemps vos invités, préparez tous les ingrédients à l'avance. À l'heure H, quelques minutes derrière les fourneaux suffiront pour régaler vos hôtes.

2 c. à s. d'huile
1 c. à s. de gingembre, émincé
1 ou 2 piments verts, non épépinés, finement émincés
1 c. à s. d'ail, finement émincé
1 oignon moyen, finement émincé
450 g (1 lb) de paneer, découpé en dés de 2,5 cm (1 po) de côté
2 c. à s. de sauce soya
Sel, au goût
½ c. à t. de poivre noir moulu
1 c. à s. de fécule de maïs, délayée dans 3 c. à s. d'eau
2 c. à s. d'oignons verts, finement émincés

Dans une poêle antiadhésive, faites chauffer l'huile et mettez-y le gingembre, le piment vert et l'ail à revenir. Lorsque le mélange est odorant, ajoutez-y l'oignon.

Faites dorer la préparation, puis incorporez-y le paneer et la sauce soya. Salez et poivrez. Après environ 1 min de cuisson, mouillez avec un petit peu d'eau et portez à ébullition, à découvert.

Versez la fécule de maïs délayée dans la poêle, en remuant constamment jusqu'à ce que la sauce épaississe ; allongez celle-ci d'un trait d'eau, si nécessaire. Poursuivez la cuisson, à couvert, 2 à 3 min, afin que le paneer s'imprègne bien des saveurs des épices. Parsemez le tout d'oignons verts émincés avant de servir.

Voir variantes p. 169

Curry de paneer aux pommes de terre

Pour 4 personnes

Préparez ce curry la veille. Comme tous les plats en sauce, il n'en sera que meilleur.

2 c. à s. d'huile
1 c. à t. de gingembre, émincé
1 gros oignon, finement émincé
1 grosse tomate, concassée
1 ou 2 piments verts, non épépinés, finement émincés
1 c. à s. de pâte de tomates
½ c. à t. de piment rouge en poudre
¼ de c. à t. de curcuma en poudre
1 c. à t. de coriandre moulue
2 pommes de terre moyennes, pelées et coupées en petits dés
25 cl (1 tasse) d'eau
Sel, au goût
450 g (1 lb) de paneer, découpé en petits dés

Dans une poêle, faites chauffer l'huile et mettez-y le gingembre et l'oignon à revenir. Lorsque le mélange est doré, incorporez-y la tomate fraîche, le piment vert, la pâte de tomates, le piment rouge, le curcuma et la coriandre moulue.

Dès que la tomate commence à fondre, ajoutez les pommes de terre et l'eau. Salez à votre convenance, puis laissez mijoter, à couvert, 10 à 15 min. Incorporez ensuite le paneer et poursuivez la cuisson encore 5 à 6 min ; les pommes de terre doivent être fondantes.

Voir variantes p. 170

Paneer à la mode de l'Inde du Sud

Pour 4 personnes

Délicieuse en soi, cette préparation constitue aussi une garniture parfaite pour des wraps ou des sandwichs. Avis, donc, à ceux qui sont souvent pris par le temps...

2 c. à s. d'huile
1 c. à t. de graines de cumin
1 c. à t. de graines de moutarde
5 ou 6 feuilles de curry, fraîches ou séchées
1 petit oignon, finement émincé
1 c. à s. d'ail, finement émincé
¼ de c. à t. de curcuma en poudre
½ c. à t. de piment rouge en poudre
½ c. à t. de coriandre moulue
450 g (1 lb) de paneer, découpé en dés de 2,5 cm (1 po) de côté
140 g (½ tasse) de yogourt nature, entier ou allégé, fouetté jusqu'à consistance lisse
Sel, au goût

Dans une grande poêle, faites chauffer l'huile et mettez-y les graines de cumin et de moutarde à revenir avec les feuilles de curry. Dès que les épices commencent à crépiter, incorporez-y l'oignon et l'ail. Lorsque l'oignon est tendre, ajoutez le curcuma, le piment et la coriandre.

Faites braiser le tout quelques minutes, puis incorporez le paneer et le yogourt. Salez à votre convenance. Poursuivez la cuisson 6 à 8 min ; le fromage doit être cuit.

Voir variantes p. 171

Paneer aux épices

Pour 4 personnes

Pour améliorer la valeur nutritionnelle de cette préparation, ajoutez-y une ou deux poignées de légumes mélangés surgelés (carottes, petits pois, etc.).

2 c. à s. d'huile
1 c. à t. de graines de cumin
1 c. à t. de graines de fenouil
1 c. à t. de graines de coriandre
1 petit oignon, finement émincé
1 c. à t. de gingembre, finement émincé
1 c. à t. d'ail, finement émincé
450 g (1 lb) de paneer, râpé
½ c. à t. de piment rouge en poudre
½ c. à t. de coriandre moulue
1 c. à t. de cumin en poudre
1 c. à t. de garam masala
1 petite tomate, concassée
Sel, au goût

Dans une poêle antiadhésive, faites chauffer l'huile et mettez-y les graines de cumin, de fenouil et de coriandre à revenir.

Lorsque les épices commencent à crépiter, incorporez-y l'oignon, le gingembre et l'ail. Dès que l'oignon est tendre, ajoutez le paneer, le piment rouge, la coriandre moulue, le cumin en poudre et le garam masala. Faites revenir quelques minutes ; le fromage doit être cuit et bien enrobé du mélange d'épices.

Ajoutez la tomate et poursuivez la cuisson 5 à 6 min, en remuant de temps à autre. Salez à votre convenance.

Voir variantes p. 172

Paneer masala

Pour 4 personnes

Facile à réaliser, ce plat copieux est idéal pour un dîner d'hiver.

2 c. à s. d'huile
1 c. à t. de gingembre, haché
1 c. à t. de graines de cumin
½ c. à t. de piment rouge en poudre
1 c. à t. de coriandre moulue
½ c. à t. de garam masala
500 g (1,1 lb) de tomates fraîches, en purée
450 g (1 lb) de paneer, découpé en petits dés
2 c. à s. de crème 35 %
1 pincée de kasoori methi
Sel, au goût

Dans une poêle antiadhésive, faites chauffer l'huile et mettez-y le gingembre et les graines de cumin à revenir. Dès que les épices commencent à crépiter, ajoutez-y le piment rouge, la coriandre, le garam masala et les tomates.

Faites revenir quelques minutes, puis incorporez le paneer, la crème 35 % et le kasoori methi. Salez à votre convenance et laissez mijoter, à couvert, 15 à 20 min. Servez accompagné de riz ou de *rotis*.

Voir variantes p. 173

Variantes

Poivrons farcis au paneer

Recette de base p. 157

Poivrons farcis aux pommes de terre
Suivez la recette de base, en remplaçant le paneer par 340 g (11,5 oz) de pommes de terre bouillies.

Poivrons farcis au maïs
Suivez la recette de base, en remplaçant le paneer par 300 g (10 oz) de maïs surgelé.

Poivrons farcis au poulet
Suivez la recette de base, en remplaçant le paneer par 225 g (7,5 oz) de poulet haché. Comptez 10 min de cuisson supplémentaires.

Poivrons farcis à l'agneau
Suivez la recette de base, en remplaçant le paneer par 225 g (7,5 oz) d'agneau haché. Comptez 10 min de cuisson supplémentaires.

Poivrons farcis à la menthe
Suivez la recette de base, en ajoutant au mélange d'épices 1 c. à s. de feuilles de menthe séchées.

Variantes

Sauté de paneer aux petits pois

Recette de base p. 158

Sauté de pommes de terre aux petits pois
Suivez la recette de base, en remplaçant le paneer par 340 g (11,5 oz) de pommes de terre bouillies.

Sauté de champignons aux petits pois
Suivez la recette de base, en remplaçant le paneer par 140 g (4,5 oz) de champignons de Paris, finement émincés.

Sauté de carottes aux petits pois
Suivez la recette de base, en remplaçant le paneer par 225 g (7,5 oz) de carottes, coupées en fines rondelles.

Sauté de chou-fleur aux petits pois
Suivez la recette de base, en remplaçant le paneer par 140 g (4,5 oz) de chou-fleur, finement émincé.

Variantes

Paneer au piment

Recette de base p. 160

Champignons au piment
Suivez la recette de base, en remplaçant le paneer par 140 g (4,5 oz) de champignons de Paris, finement émincés.

Chou-fleur au piment
Suivez la recette de base, en remplaçant le paneer par 140 g (4,5 oz) de chou-fleur, finement émincé.

Pousses de maïs au piment
Suivez la recette de base, en remplaçant le paneer par 300 g (10 oz) de pousses de maïs en conserve, soigneusement rincées et égouttées.

Pommes de terre au piment
Suivez la recette de base, en remplaçant le paneer par 300 g (10 oz) de pommes de terre, pelées, bouillies et découpées en dés.

Crevettes au piment
Suivez la recette de base, en remplaçant le paneer par 260 g (8,5 oz) de crevettes roses, décortiquées et nettoyées.

Variantes

Curry de paneer aux pommes de terre

Recette de base p. 161

Curry de petits pois aux pommes de terre
Suivez la recette de base, en remplaçant le paneer par 300 g (10 oz) de petits pois surgelés.

Curry de chou-fleur aux pommes de terre
Suivez la recette de base, en remplaçant le paneer par 140 g (4,5 oz) de chou-fleur émincé.

Curry de pois chiches aux pommes de terre
Suivez la recette de base, en remplaçant le paneer par 400 g (13,5 oz) de pois chiches cuits. Si vous utilisez des pois chiches en conserve, rincez-les et égouttez-les soigneusement. Ne salez pas la préparation.

Curry d'épinards aux pommes de terre
Suivez la recette de base, en remplaçant le paneer par 60 g (2 oz) d'épinards hachés.

Curry d'œufs aux pommes de terre
Suivez la recette de base, en remplaçant le paneer par 4 œufs durs, coupés en deux.

Variantes

Paneer à la mode de l'Inde du Sud

Recette de base p. 162

Poulet à la mode de l'Inde du Sud
Suivez la recette de base, en remplaçant le paneer par 450 g (1 lb) de blanc de poulet, découpé en dés. Comptez 10 min de cuisson supplémentaires.

Champignons à la mode de l'Inde du Sud
Suivez la recette de base, en remplaçant le paneer par 140 g (4,5 oz) de petits champignons. Comptez 10 min de cuisson supplémentaires.

Crevettes à la mode de l'Inde du Sud
Suivez la recette de base, en remplaçant le paneer par 260 g (8,5 oz) de crevettes roses, décortiquées et nettoyées. Comptez 5 min de cuisson supplémentaires.

Pousses de maïs à la mode de l'Inde du Sud
Suivez la recette de base, en remplaçant le paneer par 300 g (10 oz) de pousses de maïs en conserve, soigneusement rincées et égouttées. Comptez 10 min de cuisson supplémentaires.

Variantes

Paneer aux épices

Recette de base p. 165

Œufs brouillés aux épices
Suivez la recette de base, en remplaçant le paneer par 6 œufs, battus en omelette.

Pommes de terre aux épices
Suivez la recette de base, en remplaçant le paneer par 340 g (11,5 oz) de pommes de terre bouillies.

Petits pois aux épices
Suivez la recette de base, en remplaçant le paneer par 300 g (10 oz) de petits pois surgelés.

Maïs doux aux épices
Suivez la recette de base, en remplaçant le paneer par 300 g (10 oz) de maïs doux surgelé.

Variantes

Paneer masala

Recette de base p. 166

Poulet masala

Suivez la recette de base, en remplaçant le paneer par 260 g (8,5 oz) de poulet désossé, découpé en dés. Comptez 10 min de cuisson supplémentaires.

Champignons masala

Suivez la recette de base, en remplaçant le paneer par 140 g (4,5 oz) de champignons de Paris, finement émincés.

Crevettes masala

Suivez la recette de base, en remplaçant le paneer par 260 g (8,5 oz) de crevettes roses, décortiquées et nettoyées.

Chou-fleur masala

Suivez la recette de base, en remplaçant le paneer par 140 g (4,5 oz) de chou-fleur émincé.

Légumes

La cuisine indienne propose une multitude de préparations végétariennes à la fois saines et délicieuses. À savourer sans modération, en plat principal ou comme accompagnement !

Saag aloo

Pour 4 personnes

Ce grand classique de la cuisine indienne, qui associe des pommes de terre *(aloo)* à des épinards *(saag)*, se prépare très facilement. Les épinards surgelés conviennent parfaitement à sa réalisation.

3 c. à s. d'huile
2 pommes de terre moyennes, pelées, bouillies et coupées en petits dés
1 c. à s. d'ail, finement haché
450 g (1 lb) d'épinards, en purée
½ c. à t. de piment rouge en poudre
½ c. à t. de coriandre moulue
½ c. à t. de cumin en poudre
85 g (⅓ tasse) de yogourt nature, entier ou allégé, fouetté jusqu'à consistance lisse
Sel, au goût

Dans une poêle, faites chauffer 2 c. à s. d'huile et mettez-y les pommes de terre à revenir. Lorsqu'elles sont bien dorées, sortez-les de la poêle. Réservez.

Dans la même poêle, faites chauffer le reste d'huile et mettez-y l'ail à revenir. Dès qu'il est odorant, ajoutez-y les épinards, le piment rouge, la coriandre, le cumin et le yogourt. Laissez mijoter, à couvert, 8 à 10 min, en remuant de temps à autre.

Incorporez ensuite les pommes de terre. Salez à votre convenance et poursuivez la cuisson, à couvert, 5 à 6 min.

Voir variantes p. 196

Aloo tamatar

Pour 4 personnes

Ce plat traditionnel – associant la pomme de terre *(aloo)* à la tomate *(tamatar)* – est très prisé pour le brunch. On l'accompagne alors de petites galettes indiennes appelées *puris*. Composées de farine, de ghee (beurre clarifié) et d'eau, elles sont passées dans l'huile ; les plus réussies sont bien gonflées au sortir de la poêle.

2 c. à s. d'huile
1 c. à t. de graines de cumin
1 oignon moyen, finement émincé
¼ de c. à t. de curcuma en poudre
½ c. à t. de piment rouge en poudre
½ c. à t. de coriandre moulue
1 tomate moyenne, finement concassée
2 pommes de terre moyennes, pelées, bouillies et coupées en dés de 2,5 cm (1 po) de côté
25 cl (1 tasse) d'eau
Sel, au goût

Dans une poêle, faites chauffer l'huile et mettez-y le cumin et l'oignon à revenir.

Dès que l'oignon est tendre et doré, incorporez-y le curcuma, le piment rouge, la coriandre moulue et la tomate. Faites revenir quelques instants ; la tomate doit commencer à fondre. Ajoutez alors les pommes de terre et l'eau. Salez à votre convenance et poursuivez la cuisson, à couvert, 10 à 12 min.

Voir variantes p. 197

Cèpes masala

Pour 4 personnes

Les champignons sont fort appréciés des végétariens, notamment pour leur texture charnue qui rappelle celle de la viande. Ils offrent aussi l'avantage de bien absorber les parfums des ingrédients auxquels ils sont associés.

2 c. à s. d'huile
1 c. à t. de graines de cumin
1 oignon moyen, finement émincé
10 à 12 petits cèpes, coupés en quatre
1 c. à t. de coriandre moulue
¼ de c. à t. de curcuma en poudre
½ c. à t. de piment rouge en poudre
½ c. à t. de garam masala
30 g (⅕ tasse) de yogourt nature, entier ou allégé, fouetté jusqu'à consistance lisse
12 cl (½ tasse) d'eau
Sel, au goût

Dans une poêle, faites chauffer l'huile et mettez-y le cumin et l'oignon à revenir. Lorsque l'oignon est tendre, ajoutez-y les champignons.

Deux minutes plus tard, incorporez la coriandre, le curcuma, le piment rouge, le garam masala, le yogourt et l'eau. Salez à votre convenance et poursuivez la cuisson, à couvert, 10 à 15 min.

Voir variantes p. 198

Purée de pommes de terre aux épices

Pour 4 personnes

Voici un grand classique de la cuisine occidentale revu à la mode orientale. Ici, la traditionnelle purée de pommes de terre est additionnée d'épices indiennes, pour le plus grand bonheur de vos papilles.

2 ou 3 grosses pommes de terre, pelées, bouillies et écrasées
½ c. à t. de cumin en poudre
½ c. à t. de piment rouge en poudre
½ c. à t. de coriandre moulue
½ c. à t. d'amchur
Sel, au goût

Mélangez les pommes de terre écrasées avec les épices. Salez à votre convenance. Servez tiède.

Voir variantes p. 199

Sauté de haricots verts

Pour 4 personnes

Pour un déjeuner sur le pouce à la fois délicieux et original, garnissez des tortillas tièdes de cette préparation. Complétez avec de la laitue et de la tomate.

2 c. à s. d'huile
1 c. à t. de graines de cumin
225 g (7,5 oz) de haricots verts, coupés en tronçons en 2,5 cm (1 po)
¼ de c. à t. de curcuma en poudre
½ c. à t. de piment rouge en poudre
1 c. à t. de coriandre moulue
Sel, au goût

Dans une poêle antiadhésive, faites chauffer l'huile et mettez-y le cumin à revenir. Lorsque les épices commencent à crépiter, incorporez-y les haricots, le curcuma, le piment rouge et la coriandre.

Faites rissoler quelques instants, puis laissez mijoter, à couvert, 5 à 10 min, en remuant de temps à autre. Salez à votre convenance. Les haricots doivent être tendres.

Voir variantes p. 200

Curry de légumes

Pour 4 personnes

Ce curry sera parfait en accompagnement de *rotis* chauds et d'un chutney. À moins que vous n'optiez pour un *pulao* (riz à l'indienne) et une salade.

2 c. à s. d'huile
1 oignon moyen, finement émincé
¼ de c. à t. de curcuma en poudre
½ c. à t. de piment rouge en poudre
1 c. à t. de coriandre moulue
250 g (8 oz) de légumes mélangés (petits pois, carottes, pousses de maïs, champignons, poivrons) crus, coupés en petits dés
150 g (5 oz) de pommes de terre
1 grosse tomate, grossièrement concassée
2 c. à s. de yogourt nature, entier ou allégé, fouetté jusqu'à consistance lisse
Sel, au goût
2 c. à s. de feuilles de coriandre fraîche, finement ciselées

Dans une grande poêle, faites chauffer l'huile et mettez-y l'oignon à dorer. Dès qu'il est tendre, ajoutez-y le curcuma, le piment rouge et la coriandre moulue.

Faites revenir quelques instants, puis incorporez les légumes mélangés et les pommes de terre. Laissez mijoter le tout, à couvert, 3 à 4 min. Ajoutez ensuite la tomate. Dès qu'elle commence à s'écraser, agrémentez la préparation de yogourt.

Salez à votre convenance. Remuez pour bien mélanger les ingrédients. Mouillez avec un peu d'eau si la sauce se dessèche trop. Poursuivez la cuisson, à couvert, 8 à 10 min ; les pommes de terre doivent être fondantes. Parsemez de coriandre fraîche ciselée avant de servir.

Voir variantes p. 201

Baingan bharta

Pour 4 personnes

Servez cette délicieuse purée *(bharta)* d'aubergines *(baingan)* avec du riz nature et des lentilles jaunes.

450 g (1 lb) d'aubergines, non pelées
2 c. à s. d'huile + un peu pour la plaque
1 c. à t. de graines de cumin
1 morceau (2,5 cm - 1 po) de gingembre, finement émincé
1 gros oignon, finement émincé
¼ de c. à t. de curcuma en poudre
½ c. à t. de piment rouge en poudre
¼ de c. à t. de garam masala
1 grosse tomate, concassée
Sel, au goût
Feuilles de coriandre, finement ciselées

Réglez le four sur la fonction gril et préchauffez-le à 400 °F (200 °C). Incisez les aubergines dans la longueur à intervalles réguliers. Disposez-les sur une plaque de cuisson huilée et enfournez-les pour 30 à 35 min ; elles doivent être calcinées en surface. Ôtez-en la peau brûlée, puis écrasez-en la chair. Réservez.

Dans une poêle, faites chauffer l'huile et mettez-y le cumin et le gingembre à revenir. Lorsque les épices commencent à crépiter, incorporez-y l'oignon.

Quand l'oignon est tendre, ajoutez le curcuma, le piment rouge et le garam masala. Faites braiser quelques instants, puis incorporez la tomate.

Lorsque celle-ci commence à fondre, ajoutez la purée d'aubergines, en remuant pour obtenir un mélange homogène. Salez à votre convenance. Garnissez de feuilles de coriandre ciselées avant de servir.

Voir variantes p. 202

Aloo gobi

Pour 4 personnes

Chez les Indiens, les repas quotidiens se composent généralement de légumes secs, de *rotis*, de riz et de légumes frais d'accompagnement. Les plats végétariens comme l'*aloo* (pomme de terre) *gobi* (chou-fleur) tiennent donc une place de choix dans la cuisine de tous les jours.

2 c. à s. d'huile
1 c. à t. de graines de cumin
2 pommes de terre moyennes, pelées et coupées en dés
1 petit chou-fleur, séparé en fleurettes
¼ de c. à t. de curcuma en poudre
¼ de c. à t. d'amchur
½ c. à t. de piment rouge en poudre
1 c. à t. de coriandre moulue
Sel, au goût

Dans une poêle profonde, faites chauffer l'huile et mettez-y les graines de cumin à revenir. Dès qu'elles commencent à crépiter, ajoutez-y les pommes de terre et le chou-fleur. Faites revenir 15 à 20 min, en remuant de temps à autre.

Lorsque la pomme de terre est tendre, incorporez les épices et salez. Poursuivez la cuisson quelques instants, en mélangeant délicatement, afin que les saveurs de tous les ingrédients se fondent.

Voir variantes p. 203

Carottes aux épices

Pour 4 personnes

Ces carottes épicées compléteront agréablement un curry de poulet ou de poisson accompagné de riz. Rajoutez une salade verte pour un repas équilibré.

2 c. à s. d'huile
1 c. à t. de graines de cumin
2 ou 3 grosses carottes, coupées en rondelles
¼ de c. à t. de curcuma en poudre
¼ de c. à t. d'amchur
½ c. à t. de piment rouge en poudre
Sel, au goût

Dans une poêle profonde, faites chauffer l'huile et mettez-y les graines de cumin à revenir. Dès qu'elles commencent à crépiter, ajoutez-y les carottes, le curcuma, l'amchur et le piment rouge. Faites revenir 15 à 20 min, en remuant de temps à autre.

Salez à votre convenance. Les carottes doivent être fondantes.

Voir variantes p. 204

Aubergines frites

Pour 4 personnes

Y a-t-il une manière plus simple et plus délicieuse de préparer des aubergines ? Elles sont imprégnées à cœur par les épices, qui forment une panure croustillante.

2 c. à s. d'huile
1 grosse aubergine, non pelée, coupée en tranches fines
¼ de c. à t. de curcuma en poudre
¼ de c. à t. d'amchur
½ c. à t. de piment rouge en poudre
Sel, au goût

Dans une grande poêle antiadhésive, faites chauffer l'huile à feu vif et mettez-y les tranches d'aubergine à revenir 2 à 3 min de chaque côté, en évitant de les faire se chevaucher. Quand elles sont bien dorées sur leurs deux faces, parsemez-les de curcuma, d'amchur et de piment rouge, en prenant soin de répartir uniformément les diverses épices.

Salez à votre convenance et servez aussitôt.

Voir variantes p. 205

Dahi bhindi

Pour 4 personnes

Les Indiens sont friands de gombos *(bhindi)* et les apprécient particulièrement sautés avec des épices. L'adjonction de yogourt *(dahi)* à la préparation donne une allure inédite à ce classique de la cuisine quotidienne.

2 c. à s. d'huile
15 à 20 okras (gombos) moyens
¼ de c. à t. de curcuma en poudre
½ c. à t. de piment rouge en poudre
½ c. à t. de coriandre moulue
½ c. à t. d'amchur
30 g (⅕ tasse) de yogourt nature, entier ou allégé, fouetté jusqu'à consistance lisse
Sel, au goût

Dans une poêle, faites chauffer l'huile et mettez-y les okras à revenir. Dès qu'ils sont dorés, ajoutez-y les épices et faites braiser quelques instants.

Incorporez ensuite le yogourt, salez à votre convenance, puis poursuivez la cuisson 5 à 6 min. Les légumes doivent être tendres.

Voir variantes p. 206

Dum aloo

Pour 4 personnes

Le terme *dum* désigne une cuisson à l'étouffée, dans un récipient au couvercle hermétique. Les pommes de terre ainsi préparées s'accompagnent bien de légumes secs (type lentilles jaunes) et d'un riz parfumé. Vous pouvez aussi les servir avec un curry de poulet et des naans chauds. Du raïta (concombre au yogourt) complétera bien le repas.

2 c. à s. d'huile
8 à 10 petites pommes de terre rouges, pelées
½ c. à t. de piment rouge en poudre
¼ de c. à t. de curcuma en poudre
1 c. à t. de coriandre moulue
2 c. à s. de pâte de tomates
60 g (¼ tasse) de yogourt nature, entier ou allégé, fouetté jusqu'à consistance lisse
Sel, au goût
½ c. à t. de kasoori methi
Feuilles de coriandre fraîche, finement ciselées

Dans une grande poêle antiadhésive, faites chauffer l'huile et mettez-y les pommes de terre à revenir. Quand elles sont bien dorées, ajoutez-y le piment rouge, le curcuma et la coriandre moulue. Faites braiser quelques instants, en remuant afin que les pommes de terre soient bien enrobées du mélange d'épices.

Ajoutez la pâte de tomates et le yogourt, puis laissez mijoter à feu moyen, à couvert, 10 à 15 min ; les pommes de terre doivent être moelleuses. Mouillez avec un peu d'eau, si nécessaire, pour empêcher que la sauce ne se dessèche trop.

Salez à votre convenance et agrémentez de kasoori methi. Poursuivez la cuisson 4 à 5 min. Parsemez de coriandre ciselée.

Voir variantes p. 207

Variantes

Saag aloo

Recette de base p. 175

Poulet aux épinards
Suivez la recette de base, en remplaçant les pommes de terre par 260 g (8,5 oz) de blanc de poulet, découpé en dés. Comptez 10 min de cuisson supplémentaires.

Paneer aux épinards
Suivez la recette de base, en remplaçant les pommes de terre par 260 g (8,5 oz) de paneer, coupé en dés.

Champignons aux épinards
Suivez la recette de base, en remplaçant les pommes de terre par 140 g (4,5 oz) de champignons de Paris, finement émincés.

Pousses de maïs aux épinards
Suivez la recette de base, en remplaçant les pommes de terre par 300 g (10 oz) de pousses de maïs en conserve, soigneusement rincées et égouttées.

Aloo tamatar

Recette de base p. 176

Aloo matar
Suivez la recette de base, en ajoutant à la préparation 140 g (4,5 oz) de petits pois surgelés, en même temps que les pommes de terre.

Aloo gobi
Suivez la recette de base, en ajoutant à la préparation 140 g (4,5 oz) de chou-fleur émincé, en même temps que les pommes de terre.

Champignons à la tomate
Suivez la recette de base, en remplaçant les pommes de terre par 140 g (4,5 oz) de champignons de Paris, finement émincés.

Crevettes à la tomate
Suivez la recette de base, en remplaçant les pommes de terre par 260 g (8,5 oz) de crevettes roses, décortiquées et nettoyées.

Variantes

Cèpes masala

Recette de base p. 179

Aubergines masala
Suivez la recette de base, en remplaçant les champignons par 8 à 10 petites aubergines, coupées en quartiers.

Gombos masala
Suivez la recette de base, en remplaçant les champignons par 200 g (6,5 oz) de gombos, coupés en tronçons.

Courgettes masala
Suivez la recette de base, en remplaçant les champignons par 140 g (4,5 oz) de courgettes, coupées en rondelles.

Poivrons masala
Suivez la recette de base, en remplaçant les champignons par 260 g (8,5 oz) de poivrons rouges et verts, épépinés et émincés.

Variantes

Purée de pommes de terre aux épices

Recette de base p. 180

Purée de patate douce aux épices
Suivez la recette de base, en remplaçant les pommes de terre par 340 g (11,5 oz) de patate douce.

Purée de petits pois aux épices
Suivez la recette de base, en remplaçant les pommes de terre par 300 g (10 oz) de petits pois surgelés.

Purée de chou-fleur aux épices
Suivez la recette de base, en remplaçant les pommes de terre par 140 g (4,5 oz) de chou-fleur bouilli.

Purée de carottes aux épices
Suivez la recette de base, en remplaçant les pommes de terre par 225 g (7,5 oz) de carottes, bouillies et coupées en dés.

Purée de navets aux épices
Suivez la recette de base, en remplaçant les pommes de terre par 340 g (11,5 oz) de navets blancs, bouillis et coupés en dés.

Purée de citrouille aux épices
Suivez la recette de base, en remplaçant les pommes de terre par 400 g (13,5 oz) de citrouille, bouillie et coupée en dés.

Variantes

Sauté de haricots verts

Recette de base p. 181

Sauté de pousses de maïs
Suivez la recette de base, en remplaçant les haricots verts par 300 g (10 oz) de pousses de maïs en conserve, soigneusement rincées et égouttées.

Sauté de gombos
Suivez la recette de base, en remplaçant les haricots verts par 200 g (6,5 oz) de gombos, coupés en tronçons.

Sauté de courgettes
Suivez la recette de base, en remplaçant les haricots verts par 140 g (4,5 oz) de courgettes, finement émincées.

Sauté de chou
Suivez la recette de base, en remplaçant les haricots verts par 225 g (7,5 oz) de chou, finement émincé.

Sauté de petits pois
Suivez la recette de base, en remplaçant les haricots verts par 300 g (10 oz) de petits pois surgelés.

Variantes

Curry de légumes

Recette de base p. 182

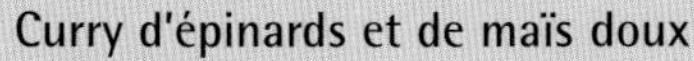

Curry d'épinards et de maïs doux
Suivez la recette de base, en remplaçant le mélange de légumes par 140 g (4,5 oz) d'épinards hachés et 140 g (4,5 oz) de maïs doux surgelé.

Curry de chou-fleur et de petits pois
Suivez la recette de base, en remplaçant le mélange de légumes par 140 g (4,5 oz) de chou-fleur émincé et 140 g (4,5 oz) de petits pois surgelés.

Curry de carottes et de petits pois
Suivez la recette de base, en remplaçant le mélange de légumes par 140 g (4,5 oz) de carottes, coupées en petits dés, et 140 g (4,5 oz) de petits pois surgelés.

Variantes

Baingan bharta

Recette de base p. 184

Naan au baingan bharta

Suivez la recette de base. Préchauffez le four à 340 °F (175 °C). Garnissez 1 naan nature ou à l'ail d'une fine couche de purée d'aubergines. Enfournez pour 8 à 10 min ; le naan doit être croustillant. Parsemez-le de menthe fraîche finement ciselée. Découpez-le en tranches et servez aussitôt.

Bharta aux petits pois

Suivez la recette de base, en ajoutant à la purée d'aubergines 140 g (4,5 oz) de petits pois surgelés.

Variantes

Aloo gobi

Recette de base p. 187

Gobi matar
Suivez la recette de base, en remplaçant les pommes de terre par 300 g (10 oz) de petits pois surgelés. Réduisez le temps de cuisson de 5 min.

Aloo matar
Suivez la recette de base, en remplaçant le chou-fleur par 300 g (10 oz) de petits pois surgelés. Réduisez le temps de cuisson de 5 min.

Gobi gajar
Suivez la recette de base, en remplaçant les pommes de terre par 2 belles carottes, coupées en fines rondelles.

Variantes

Carottes aux épices

Recette de base p. 188

Chou aux épices
Suivez la recette de base, en remplaçant les carottes par 225 g (7,5 oz) de chou, finement émincé.

Pousses de maïs aux épices
Suivez la recette de base, en remplaçant les carottes par 300 g (10 oz) de pousses de maïs en conserve, soigneusement rincées et égouttées.

Betteraves aux épices
Suivez la recette de base, en remplaçant les carottes par 280 g (9,5 oz) de betteraves, finement émincées.

Poivrons aux épices
Suivez la recette de base, en remplaçant les carottes par 260 g (8,5 oz) de poivrons, épépinés et émincés.

Épinards aux épices
Suivez la recette de base, en remplaçant les carottes par 120 g (4 oz) d'épinards, soigneusement rincés et hachés.

Variantes

Aubergines frites

Recette de base p. 190

Pommes de terre frites
Suivez la recette de base, en remplaçant les aubergines par 2 grosses pommes de terre, coupées en rondelles.

Courgettes frites
Suivez la recette de base, en remplaçant les aubergines par 2 belles courgettes, coupées en fines rondelles.

Champignons frits
Suivez la recette de base, en remplaçant les aubergines par 8 champignons de Paris, débarrassés de leur queue.

Carottes frites
Suivez la recette de base, en remplaçant les aubergines par 2 belles carottes, coupées en rondelles.

Variantes

Dahi bhindi

Recette de base p. 193

Aubergines au yogourt
Suivez la recette de base, en remplaçant les gombos par 140 g (4,5 oz) d'aubergines, coupées en dés.

Courgettes au yogourt
Suivez la recette de base, en remplaçant les gombos par 140 g (4,5 oz) de courgettes, finement émincées.

Haricots verts au yogourt
Suivez la recette de base, en remplaçant les gombos par 300 g (10 oz) de haricots verts, coupés en petits tronçons.

Champignons au yogourt
Suivez la recette de base, en remplaçant les gombos par 140 g (4,5 oz) de champignons de Paris, finement émincés.

Poivrons au yogourt
Suivez la recette de base, en remplaçant les gombos par 260 g (8,5 oz) de poivrons, épépinés et émincés.

Variantes

Dum aloo

Recette de base p. 194

Dum aloo à la menthe
Suivez la recette de base, en agrémentant les pommes de terre de 3 c. à s. de feuilles de menthe fraîche, finement ciselées.

Dum aloo aux petits pois
Suivez la recette de base, en ajoutant aux pommes de terre 300 g (10 oz) de petits pois surgelés.

Dum aloo aux raisins secs
Suivez la recette de base, en ajoutant aux pommes de terre 85 g (2/3 tasse) de raisins secs.

Légumes secs

De nombreux plats traditionnels indiens sont à base de légumes secs (haricots, lentilles), appelés *dals*. Les recettes suivantes, très faciles à réaliser, vous permettront de varier agréablement vos menus quotidiens avec des plats simples, mais nourrissants et savoureux.

Dal tadka

Pour 4 personnes

Les lentilles sont prisées des végétariens pour leur richesse en protéines. Elles agrémentent agréablement un repas et offrent l'avantage de bien s'imprégner des arômes des épices qui leur sont associées.

140 g (3/4 tasse) de lentilles corail, lavées et égouttées
50 cl (2 tasses) d'eau
1 petit oignon, finement émincé
1 petite tomate, concassée
1 ou 2 piments verts, non épépinés, finement émincés
2 gousses d'ail, incisées sur la moitié de leur longueur
1/4 de c. à t. de curcuma en poudre
1/4 de c. à t. de piment rouge en poudre
2 c. à s. d'huile
1 c. à t. de graines de cumin
1 c. à t. de graines de fenouil
Sel, au goût
Feuilles de coriandre fraîche, finement ciselées

Dans une grande casserole à fond épais, portez l'eau à ébullition, à feu doux, avec les lentilles, l'oignon, la tomate, les piments verts, l'ail, le curcuma et le piment rouge. Laissez mijoter ; les lentilles doivent être tendres et s'écraser légèrement. Réservez.

Dans une petite poêle, faites chauffer l'huile et mettez-y les graines de cumin et de fenouil à revenir à feu doux, pour éviter qu'elles ne brûlent. Lorsque les épices commencent à crépiter, versez le mélange, huile comprise, dans les lentilles. Salez la préparation.

Parsemez de coriandre fraîche ciselée avant de servir.

Voir variantes p. 217

Méli-mélo de dals

Pour 4 personnes

Chez les Indiens, les repas quotidiens comportent invariablement des *dals* (pois, lentilles, haricots secs), que l'on accompagne généralement de légumes frais.

2 c. à s. d'huile
1 c. à t. de graines de cumin
1 c. à t. de graines de fenouil
1 petit oignon, finement émincé
1 tomate moyenne, concassée
1 c. à t. de gingembre, finement émincé
1 c. à t. d'ail, finement émincé
1/4 de c. à t. de curcuma en poudre
1/2 c. à t. de piment rouge en poudre
1/2 c. à t. de coriandre moulue
85 g (1/2 tasse) de lentilles corail, lavées et égouttées
85 g (1/2 tasse) de pois cassés, lavés et égouttés
85 g (1/2 tasse) de haricots mungo, lavés et égouttés
50 cl (2 tasses) d'eau
Sel, au goût

Dans un autocuiseur, faites chauffer l'huile à découvert et mettez-y les graines de cumin et de fenouil à revenir. Dès que les épices commencent à crépiter, ajoutez-y l'oignon.

Lorsque l'oignon est doré, incorporez la tomate, le gingembre, l'ail, le curcuma, le piment rouge et la coriandre moulue. Faites revenir quelques instants. Quand la tomate commence à fondre, ajoutez les lentilles, les pois cassés et les haricots mungo. Après quelques minutes de cuisson, mouillez avec l'eau et portez à ébullition. Fermez l'autocuiseur et laissez mijoter 15 à 20 min. Les lentilles doivent être tendres. Salez à votre convenance en fin de cuisson.

Voir variantes p. 218

Sambhar

Pour 4 personnes

Pour un dîner sophistiqué, accompagnez ce sambhar d'un curry de poulet ou d'agneau, d'un plat de légumes sans sauce et d'un peu de salade verte ou de raïta.

2 c. à s. d'huile
1 c. à t. de graines de cumin
1 c. à t. de graines de moutarde
6 ou 7 feuilles de curry, fraîches ou séchées
2 ou 3 gousses d'ail, finement émincées
1 oignon moyen, finement émincé
1/4 de c. à t. de curcuma en poudre
1/2 c. à t. de piment rouge en poudre
1 c. à t. de poudre de sambhar
1 tomate moyenne, finement concassée
1 c. à t. de pâte de tamarin
60 cl (2 2/3 tasses) d'eau
85 g (1/2 tasse) de lentilles jaunes, lavées et égouttées
Sel, au goût
Jus de citron frais
Feuilles de coriandre fraîche, finement ciselées

Dans un autocuiseur, faites chauffer l'huile à découvert et mettez-y les graines de cumin et de moutarde à revenir avec les feuilles de curry. Dès que les épices commencent à crépiter, ajoutez-y l'ail et l'oignon. Lorsque l'oignon est doré, incorporez le curcuma, le piment rouge et la poudre de sambhar. Faites braiser quelques instants, puis ajoutez la tomate concassée et le tamarin. Quand la tomate commence à fondre, mouillez avec l'eau et ajoutez les lentilles. Salez à votre convenance et portez le tout à ébullition, puis fermez l'autocuiseur et laissez mijoter 20 à 25 min. Les lentilles doivent être tendres. Au besoin, prolongez la cuisson de quelques minutes.

Ouvrez l'autocuiseur. Rajoutez un peu d'eau si vous préférez une préparation plus fluide. Relevez d'un trait de jus de citron. Parsemez de coriandre fraîche ciselée avant de servir.

Voir variantes p. 219

Rajma

Pour 4 personnes

Pour un dîner autour d'un plat unique, accompagnez ces *rajma* (haricots rouges) de pain chaud croustillant. Simple... mais délicieux !

2 c. à s. d'huile
1 c. à t. de graines de cumin
1 oignon moyen, finement émincé
1 c. à t. de gingembre et d'ail, hachés
2 tomates moyennes, finement concassées
1 c. à s. de pâte de tomates
½ c. à t. de piment rouge en poudre
½ c. à t. de coriandre moulue
¼ de c. à t. de garam masala
90 g (½ tasse) de haricots rouges cuits, frais ou en conserve, rincés et égouttés
Environ 25 cl (1 tasse) d'eau
Sel, au goût
Feuilles de coriandre fraîche, finement ciselées

Dans une grande casserole, faites chauffer l'huile et mettez-y les graines de cumin à revenir. Quand elles commencent à crépiter, ajoutez-y l'oignon. Quand l'oignon est tendre, incorporez le mélange d'ail et de gingembre, les tomates fraîches, la pâte de tomates, le piment rouge, la coriandre moulue et le garam masala. Faites rissoler quelques minutes ; les tomates doivent s'écraser légèrement et un filet d'huile doit se former sur le pourtour de la casserole.

Ajoutez alors les haricots rouges. Mouillez avec l'eau et portez à ébullition. Baissez le feu et laissez mijoter 10 à 15 min, afin que les saveurs des différents ingrédients se fondent. Rajoutez un peu d'eau si vous voulez davantage de sauce.

Salez à votre convenance. Parsemez de coriandre fraîche ciselée avant de servir.

Voir variantes p. 220

Chana masala

Pour 4 personnes

Accompagnez ce plat de riz blanc nature ou de naans chauds.

2 c. à s. d'huile
1 c. à t. de graines de cumin
1 oignon moyen, finement émincé
1 ou 2 piments verts forts, non épépinés, finement émincés
1 c. à t. d'ail et de gingembre, hachés
2 tomates moyennes, concassées
1 c. à s. de pâte de tomates
½ c. à t. de piment rouge en poudre
½ c. à t. de coriandre moulue
½ c. à t. de cumin en poudre
¼ de c. à t. de curcuma en poudre
¼ de c. à t. d'amchur
¼ de c. à t. de garam masala
250 g (8 oz) de pois chiches cuits, frais ou en conserve, rincés et égouttés
Environ 25 cl (1 tasse) d'eau
Sel, au goût
Feuilles de coriandre fraîche, finement ciselées

Dans une grande casserole, faites chauffer l'huile et mettez-y les graines de cumin à revenir. Quand elles commencent à crépiter, ajoutez-y l'oignon et les piments verts. Dès que l'oignon est doré, incorporez le mélange d'ail et de gingembre, les tomates fraîches, la pâte de tomates et le reste des épices. Faites revenir quelques minutes ; les tomates doivent s'écraser légèrement et un filet d'huile doit se former sur le pourtour de la casserole.

Ajoutez alors les pois chiches. Mouillez avec l'eau et portez à ébullition. Baissez le feu et laissez mijoter 10 à 15 min, afin que les saveurs des différents ingrédients se fondent. Rajoutez un peu d'eau si vous voulez davantage de sauce.

Salez à votre convenance. Parsemez de coriandre fraîche ciselée avant de servir.

Voir variantes p. 221

Variantes

Dal tadka

Recette de base p. 209

Lentilles corail aux épinards
Suivez la recette de base, en agrémentant les lentilles de 60 g (2 oz) de pousses d'épinards fraîches, soigneusement lavées et hachées.

Lentilles corail aux feuilles de fenugrec
Suivez la recette de base, en agrémentant les lentilles de 60 g (2 oz) de feuilles de fenugrec fraîches, finement ciselées.

Lentilles corail aux carottes
Suivez la recette de base, en agrémentant les lentilles de 225 g (7,5 oz) de carottes, finement émincées.

Lentilles corail au chou-fleur
Suivez la recette de base, en agrémentant les lentilles de 140 g (4,5 oz) de chou-fleur, finement émincé.

Lentilles corail aux courgettes
Suivez la recette de base, en agrémentant les lentilles de 140 g (4,5 oz) de courgettes, finement émincées.

Variantes

Méli-mélo de dals

Recette de base p. 210

Méli-mélo de dals au citron et à la menthe
Suivez la recette de base. Agrémentez les légumes secs de 3 c. à s. de feuilles de menthe fraîche, finement ciselées, et de 2 c. à s. de jus de citron frais.

Méli-mélo de dals au tamarin
Suivez la recette de base, en ajoutant à la préparation 1 c. à s. de pâte de tamarin, en même temps que la tomate.

Méli-mélo de dals aux petits pois et aux carottes
Suivez la recette de base, en ajoutant à la préparation 140 g (4,5 oz) de petits pois et de carottes surgelés, en même temps que la tomate.

Variantes

Sambhar

Recette de base p. 213

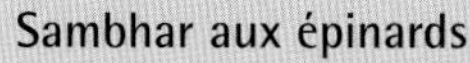

Sambhar aux épinards

Suivez la recette de base, en agrémentant les lentilles de 60 g (2 oz) de pousses d'épinards fraîches, soigneusement lavées et hachées.

Sambhar aux feuilles de fenugrec

Suivez la recette de base, en agrémentant les lentilles de 60 g (2 oz) de feuilles de fenugrec fraîches, finement ciselées.

Sambhar aux carottes

Suivez la recette de base, en agrémentant les lentilles de 225 g (7,5 oz) de carottes, finement émincées.

Sambhar au chou-fleur

Suivez la recette de base, en agrémentant les lentilles de 140 g (4,5 oz) de chou-fleur, finement émincé.

Sambhar aux courgettes

Suivez la recette de base, en agrémentant les lentilles de 140 g (4,5 oz) de courgettes, finement émincées.

Variantes

Rajma

Recette de base p. 214

Rajma à la menthe

Suivez la recette de base, en agrémentant les haricots rouges cuits de 2 c. à s. de feuilles de menthe fraîche, finement ciselées.

Rajma à l'aneth

Suivez la recette de base, en agrémentant les haricots rouges cuits de 2 c. à s. d'aneth frais, finement ciselé.

Rajma aux graines de fenouil

Suivez la recette de base, en agrémentant les haricots rouges cuits de 1 c. à s. de graines de fenouil, grillées et moulues.

Variantes

Chana masala

Recette de base p. 216

Pommes de terre masala
Suivez la recette de base, en ajoutant à la préparation 2 pommes de terre moyennes, coupées en dés, en même temps que les tomates. Comptez 10 min de cuisson supplémentaires.

Chana masala à la menthe
Suivez la recette de base, en agrémentant les pois chiches cuits de 2 c. à s. de feuilles de menthe fraîche, finement ciselées.

Rajma masala
Suivez la recette de base, en remplaçant les pois chiches par des haricots rouges.

Accompagnements

Il serait dommage de servir un délicieux curry avec un simple riz nature, quand vous pouvez concocter des accompagnements absolument savoureux qui le mettront mieux en valeur et qui, de surcroît, raviront vos hôtes tout en apportant une touche colorée à votre table.

Pulao aux petits pois

Pour 4 personnes

Ce plat est idéal pour recevoir, car il peut être réalisé à l'avance. Préparez-le la veille : il n'en sera que meilleur, car ses différentes saveurs pourront ainsi se fondre. Le *pulao* se réchauffe très bien au four à micro-ondes. Il suffit ensuite d'égrener le riz à l'aide d'une fourchette avant de servir.

2 c. à s. d'huile
1 c. à t. de graines de cumin
1 bâton de cannelle
3 ou 4 clous de girofle
1 feuille de laurier
1 petit oignon, finement émincé
50 cl (2 tasses) d'eau
260 g (1 1/3 tasse) de riz, soigneusement lavé et rincé
Sel, au goût
1 tasse de petits pois surgelés

Dans une casserole antiadhésive assez profonde, faites chauffer l'huile et mettez-y le cumin, la cannelle, le girofle et le laurier à revenir. Dès que le mélange est odorant, ajoutez-y l'oignon.

Quand l'oignon est doré, mouillez avec l'eau, puis versez le riz et salez à votre convenance. Laissez cuire à feu moyen, à couvert.

Quand l'eau de cuisson est évaporée, incorporez les petits pois et poursuivez la cuisson 5 min, à feu doux et à couvert. À l'aide d'une fourchette, égrenez délicatement le riz, en prenant soin de bien répartir les petits pois.

Voir variantes p. 245

Salade de dals

Pour 4 personnes

Ce mélange de légumes secs *(dals)* égaiera les repas quotidiens en changeant des traditionnelles salades dont nous garnissons nos tables davantage par habitude que par goût.

Environ 400 g (2 tasses) de divers légumes secs (haricots rouges, pois chiches, haricots noirs, haricots pinto, haricots blancs), cuits, soigneusement rincés et égouttés
1 petit oignon, finement émincé
1 petite tomate, concassée
90 g (3 oz) de concombre, finement émincé
2 c. à s. de feuilles de coriandre fraîche, finement ciselées
¼ de c. à t. de piment rouge en poudre
¼ de c. à t. de cumin en poudre
½ c. à t. d'ail semoule
¼ de c. à t. de chaat masala
1 c. à s. d'huile d'olive
1 c. à s. de jus de citron frais
Sel et poivre, au goût

Dans un grand saladier, mélangez soigneusement tous les ingrédients. Réservez la préparation 15 à 20 min au réfrigérateur. Servez très frais.

Voir variantes p. 246

Salade de graines germées

Pour 4 personnes

Excellente en entrée ou en accompagnement d'un curry de viande un peu relevé, cette salade convient aussi pour un déjeuner ou un dîner léger, à condition de l'agrémenter de quelques légumes ou de tomates.

260 g (8,5 oz) de germes frais de haricots mungo (soya vert), soigneusement rincés
1 petit oignon, finement émincé
90 g (3 oz) de maïs doux
2 c. à s. de feuilles de coriandre fraîche, finement ciselées
¼ de c. à t. de piment rouge en poudre
¼ de c. à t. d'ail semoule
½ c. à t. de chaat masala
1 à 2 c. à s. de jus de citron frais
Sel, au goût

Dans un grand saladier, mélangez soigneusement tous les ingrédients. Réservez la préparation 15 à 20 min au réfrigérateur. Servez très frais.

Voir variantes p. 247

Salade de pommes de terre aux épices

Pour 4 personnes

Cette salade se prépare en un tournemain. Cependant, il vaut mieux la réaliser à l'avance, afin que les différentes épices puissent pleinement développer leurs arômes et en imprégner la pomme de terre.

10 à 12 petites pommes de terre, non pelées, bouillies et coupées en deux
2 c. à s. de feuilles de coriandre fraîche, finement ciselées
2 c. à s. d'huile d'olive
¼ de c. à t. de piment rouge en poudre
¼ de c. à t. de coriandre moulue
¼ de c. à t. de cumin en poudre
½ c. à t. d'ail semoule
½ c. à t. de chaat masala
2 c. à s. de jus de citron frais
Sel et poivre, au goût

Dans un grand saladier, mélangez soigneusement tous les ingrédients. Réservez la préparation 15 à 20 min au réfrigérateur. Servez très frais.

Voir variantes p. 248

Masala slaw

Pour 4 personnes

Version plus saine du coleslaw – riche en mayonnaise et plutôt déconseillé à ceux qui surveillent leur ligne –, le masala slaw est agrémenté de yogourt et d'épices indiennes. À savourer sans modération !

260 g (8,5 oz) de chou vert, finement émincé
30 g (1 oz) de chou rouge, finement émincé
30 g (1 oz) de carottes râpées
2 c. à s. de feuilles de coriandre fraîche, finement ciselées
1 c. à s. de feuilles de menthe fraîche, finement ciselées
140 g (2/3 tasse) de yogourt nature, entier ou allégé, fouetté jusqu'à consistance lisse
1/2 c. à t. de piment rouge en poudre
1/4 de c. à t. de cumin en poudre
1/2 c. à t. d'ail semoule
1 c. à s. de jus de citron frais
Sel et poivre, au goût

Dans un grand saladier, mélangez soigneusement tous les ingrédients. Réservez la préparation 15 à 20 min au réfrigérateur. Servez très frais.

Voir variantes p. 249

Salade de pois chiches aux oignons

Pour 4 personnes

Recréez dans votre cuisine cette savoureuse salade, spécialité de l'Inde du Nord, que les marchands ambulants proposent généralement accompagnée d'un peu de chutney.

400 g (13,5 oz) de pois chiches cuits, frais ou en conserve, soigneusement rincés
1 petit oignon, finement émincé
2 c. à s. de feuilles de coriandre fraîche, finement ciselées
¼ de c. à t. de piment rouge en poudre
¼ de c. à t. de cumin en poudre
¼ de c. à t. d'ail semoule
½ c. à t. de chaat masala
1 c. à s. de jus de citron frais
Sel, au goût

Dans un grand saladier, mélangez soigneusement tous les ingrédients. Réservez la préparation 15 à 20 min au réfrigérateur. Servez très frais.

Voir variantes p. 250

Riz au cumin

Pour 4 personnes

Accompagnez ce riz d'un bon curry ou de légumes secs en sauce. Le cumin lui confère une certaine douceur... et embaumera délicieusement votre cuisine.

2 c. à s. d'huile
1 c. à s. de graines de cumin
1 feuille de laurier
50 cl (2 tasses) d'eau
Sel, au goût
260 g (1 1/3 tasse) de riz basmati, soigneusement lavé et rincé

Dans une casserole antiadhésive, faites chauffer l'huile et mettez-y le cumin à revenir. Dès qu'il commence à crépiter, ajoutez-y le laurier, l'eau, le sel et le riz. Faites cuire à feu moyen et à couvert. Le riz est prêt quand toute l'eau s'est évaporée.

Voir variantes p. 251

Riz à la coriandre et à la menthe

Pour 4 personnes

Variez cette recette au fil des saisons, au gré des herbes aromatiques que vous trouverez au marché. Les saveurs seront différentes, mais le riz sera toujours aussi délicieux.

50 cl (2 tasses) d'eau
260 g (1 1/3 tasse) de riz basmati, soigneusement lavé et rincé
85 g (3 oz) de feuilles de coriandre fraîche, finement ciselées
85 g (3 oz) de feuilles de menthe fraîche, finement ciselées
2 c. à s. de jus de citron frais
Sel, au goût

Dans une grande casserole, portez l'eau à ébullition et versez-y le riz. Laissez cuire à petit feu et à couvert ; le riz est prêt quand toute l'eau s'est évaporée. Laissez refroidir à température ambiante.

À l'aide d'une fourchette, égrenez le riz. Incorporez-y la coriandre, la menthe et le jus de citron. Salez à votre convenance.

Voir variantes p. 252

Pulao aux airelles et aux raisins

Pour 4 personnes

Traditionnellement servi avec du chutney, ce riz indien sera également parfait en accompagnement de kebabs ou de poulet grillé.

2 c. à s. d'huile
1 bâton de cannelle
3 ou 4 clous de girofle
1 feuille de laurier
1 petit oignon, finement émincé
30 g (1/4 tasse) d'airelles séchées
30 g (1/4 tasse) de raisins secs
50 cl (2 tasses) d'eau
260 g (1 1/3 tasse) de riz basmati, soigneusement lavé et rincé
Sel, au goût

Dans une casserole antiadhésive, faites chauffer l'huile et mettez-y la cannelle, le girofle et le laurier à revenir. Après quelques instants, ajoutez-y l'oignon. Lorsque celui-ci est doré, incorporez les airelles et les raisins, et poursuivez la cuisson quelques minutes ; les fruits secs doivent gonfler.

Mouillez ensuite avec l'eau, versez le riz et salez à votre convenance. Faites cuire à feu moyen et à couvert ; le riz est prêt quand toute l'eau s'est évaporée.

Voir variantes p. 253

Riz à la tomate

Pour 4 personnes

Voici un plat à réaliser en été, à la pleine saison des tomates.

1 c. à s. d'huile
1 c. à t. de graines de moutarde
6 ou 7 feuilles de curry, fraîches ou séchées
2 gousses d'ail, finement émincées
1 oignon moyen, finement émincé
¼ de c. à t. de curcuma en poudre
¼ de c. à t. de piment rouge en poudre
1 tomate moyenne, finement concassée
Sel, au goût
140 g (¾ tasse) de riz basmati cuit
Feuilles de coriandre fraîche, finement ciselées

Dans une grande poêle antiadhésive, faites chauffer l'huile et mettez-y les graines de moutarde, les feuilles de curry et l'ail à revenir. Quand les épices commencent à crépiter, ajoutez-y l'oignon.

Dès que l'oignon est doré, incorporez le curcuma, le piment rouge et la tomate. Salez à votre convenance. Faites braiser quelques instants.

Quand la tomate commence à fondre, ajoutez le riz et poursuivez la cuisson 1 à 2 minutes, en remuant soigneusement pour bien mélanger tous les ingrédients. Parsemez de coriandre ciselée et servez très chaud.

Voir variantes p. 254

Pulao au poulet

Pour 4 personnes

Pour régaler une grande tablée, rien de mieux qu'un plat unique associant le riz et la viande. En y ajoutant quelques épices parfumées et une poignée d'herbes aromatiques, vous ferez, à n'en pas douter, le bonheur de vos invités.

2 c. à s. d'huile
1 c. à t. de graines de cumin
1 c. à t. de graines de coriandre
1 bâton de cannelle
3 ou 4 clous de girofle
7 ou 8 de graines de poivre noir
1 feuille de laurier
1 petit oignon, finement émincé
1 c. à t. d'ail, haché
1 c. à t. de gingembre, haché
450 g (1 lb) de blanc de poulet, découpé en dés de 2,5 cm (1 po) de côté
½ c. à t. de piment rouge en poudre
½ c. à t. de coriandre moulue
½ c. à t. de garam masala
½ c. à t. de menthe séchée
50 cl (2 tasses) d'eau
260 g (1 ⅓ tasse) de riz basmati, soigneusement lavé et rincé
Sel, au goût
Feuilles de coriandre fraîche, finement ciselées

Dans une grande casserole antiadhésive, faites chauffer l'huile et mettez-y les graines de cumin et de coriandre, la cannelle, le girofle, le poivre noir et le laurier à revenir. Dès que le mélange est odorant, ajoutez-y l'oignon, l'ail et le gingembre.

Lorsque l'oignon est doré, incorporez le poulet, le piment rouge, la coriandre moulue, le garam masala et la menthe. Faites revenir quelques instants, en remuant constamment. Dès que le poulet devient opaque, mouillez avec l'eau, versez le riz et salez à votre convenance. Faites cuire à feu moyen et à couvert ; le riz est prêt quand toute l'eau est évaporée. Parsemez de coriandre ciselée avant de servir.

Voir variantes p. 255

Chilas

Pour 4 personnes

Les Indiens apprécient ces fines galettes à la farine de pois chiches agrémentées de chutney, comme en-cas ou à l'apéritif. Vous pouvez aussi les servir lors du brunch du dimanche, pour changer des traditionnelles crêpes sucrées.

260 g (1 2/3 tasse) de besan
1/2 c. à t. de graines de fenouil
1/4 de c. à t. de piment rouge en poudre
1/4 de c. à t. d'ail semoule
2 c. à s. de feuilles de coriandre fraîche, finement ciselées
Sel, au goût
Huile

Dans un grand saladier, mélangez la farine de pois chiches, les graines de fenouil, le piment rouge, l'ail, la coriandre et le sel. Ajoutez-y progressivement de l'eau, tout en remuant avec un fouet pour éviter la formation de grumeaux, de manière à former une pâte fluide.

Faites chauffer une poêle antiadhésive. Huilez-la légèrement et versez-y une louche de pâte. Tournez la poêle afin d'y répartir l'appareil en un disque homogène. Faites cuire la crêpe d'un côté, puis de l'autre ; elle doit être croustillante et dorée sur ses deux faces. Répétez l'opération pour le reste de pâte. En cours de cuisson, huilez la poêle autant que nécessaire.

Voir variantes p. 256

Dosas instantanés

Pour 4 personnes

Les dosas sont des crêpes indiennes à base de fécule de riz et de farine de lentilles, de haricots secs ou de pois chiches. La farine instantanée pour dosas contient tous les ingrédients permettant de les réaliser ; il suffit d'y ajouter de l'eau et de faire cuire la pâte. Les dosas peuvent s'accompagner, pour un en-cas, de chutney ou, pour un dîner sur le pouce, d'un curry léger. N'oubliez pas que les restes se conservent bien et peuvent servir pour le déjeuner du lendemain. À bon entendeur...

260 g (1 2/3 tasse) de farine pour dosas instantanée
1/4 de c. à t. de piment rouge en poudre
30 g (1 oz) de carotte râpée
2 c. à s. de feuilles de coriandre fraîche, finement émincées
Sel, au goût
Huile

Dans un grand saladier, mélangez la farine pour dosas avec le piment rouge, la carotte et la coriandre ciselée. Salez. Tout en remuant avec un fouet pour éviter la formation de grumeaux, ajoutez-y progressivement de l'eau, de manière à former une pâte fluide (type pâte à crêpes).

Faites chauffer une poêle antiadhésive. Huilez-la légèrement et versez-y une louche de pâte. Tournez la poêle afin de répartir l'appareil en un disque homogène. Faites cuire la crêpe d'un côté, puis de l'autre ; elle doit être croustillante et dorée sur ses deux faces. Répétez l'opération pour le reste de pâte. En cours de cuisson, huilez la poêle autant que nécessaire.

Voir variantes p. 257

Variantes

Pulao aux petits pois

Recette de base p. 223

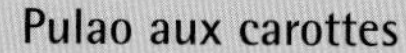

Pulao aux carottes

Remplacez les petits pois par 140 g (4,5 oz) de carottes, coupées en fines rondelles.

Pulao au maïs doux

Remplacez les petits pois par 140 g (4,5 oz) de maïs doux surgelé.

Pulao aux courgettes

Suivez la recette de base, en ajoutant à la préparation, en même temps que l'oignon, 140 g (4,5 oz) de courgettes, finement émincées. Omettez les petits pois.

Pulao à la tomate

Suivez la recette de base, en ajoutant à la préparation, en même temps que l'oignon, 140 g (4,5 oz) de tomates, finement concassées. Omettez les petits pois.

Pulao aux pois chiches

Suivez la recette de base, en ajoutant à la préparation, en même temps que l'oignon, 140 g (4,5 oz) de pois chiches cuits. Omettez les petits pois. Si vous utilisez des pois chiches en conserve, rincez-les et égouttez-les soigneusement avant utilisation.

Pulao aux poivrons

Suivez la recette de base, en ajoutant à la préparation, en même temps que l'oignon, 140 g (4,5 oz) de poivrons, finement émincés. Omettez les petits pois.

Variantes

Salade de dals

Recette de base p. 224

Salade de pois chiches

Suivez la recette de base, en remplaçant le mélange de légumes secs par 140 g (4,5 oz) de pois chiches cuits. Si vous utilisez des pois chiches en conserve, rincez-les et égouttez-les soigneusement avant utilisation. Ne salez pas la préparation.

Salade de haricots noirs et de mangue

Suivez la recette de base, en remplaçant le mélange de légumes secs par 140 g (4,5 oz) de haricots noirs cuits et 140 g (4,5 oz) de mangue, finement émincée. Si vous utilisez des haricots noirs en conserve, rincez-les et égouttez-les soigneusement avant utilisation. Ne salez pas la préparation.

Salade de maïs

Remplacez le mélange de légumes secs par 300 g (10 oz) de maïs doux surgelé.

Salade de pommes de terre et de petits pois

Remplacez le mélange de légumes secs par 140 g (4,5 oz) de pommes de terre bouillies, coupées en dés, et 140 g (4,5 oz) de petits pois surgelés.

Salade de thon

Suivez la recette de base, en remplaçant le mélange de légumes secs par 140 g (4,5 oz) de thon au naturel, rincé et égoutté. Évitez de saler la préparation.

Variantes

Salade de graines germées

Recette de base p. 227

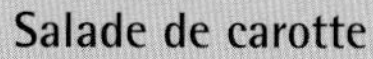

Salade de carotte
Suivez la recette de base, en remplaçant les graines germées par 225 g (7,5 oz) de carottes, finement râpées.

Salade de betterave
Suivez la recette de base, en remplaçant les graines germées par 280 g (9,5 oz) de betteraves, finement râpées.

Salade de radis
Suivez la recette de base, en remplaçant les graines germées par 140 g (4,5 oz) de radis, émincés.

Salade de chou
Suivez la recette de base, en remplaçant les graines germées par 225 g (7,5 oz) de chou, émincé.

Salade de concombre
Suivez la recette de base, en remplaçant les graines germées par 140 g (4,5 oz) de concombre, émincé.

Salade de tomate
Suivez la recette de base, en remplaçant les graines germées par 360 g (12 oz) de tomates, finement concassées.

Variantes

Salade de pommes de terre aux épices

Recette de base p. 228

Salade de patate douce aux épices
Suivez la recette de base, en remplaçant les pommes de terre par 340 g (11,5 oz) de patate douce, finement émincée.

Salade de betterave aux épices
Suivez la recette de base, en remplaçant les pommes de terre par 280 g (9,5 oz) de betteraves, finement émincées.

Salade de chou-fleur aux épices
Suivez la recette de base, en remplaçant les pommes de terre par 140 g (4,5 oz) de chou-fleur, finement émincé.

Salade de carotte aux épices
Suivez la recette de base, en remplaçant les pommes de terre par 225 g (7,5 oz) de carottes, coupées en fines rondelles.

Variantes

Masala slaw

Recette de base p. 230

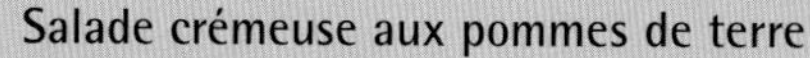

Salade crémeuse aux pommes de terre
Suivez la recette de base, en remplaçant les choux vert et rouge par 340 g (11,5 oz) de pommes de terre bouillies, découpées en dés.

Salade crémeuse aux pois chiches
Suivez la recette de base, en remplaçant les choux vert et rouge par 400 g (13,5 oz) de pois chiches cuits. Si vous utilisez des pois chiches en conserve, rincez-les et égouttez-les soigneusement avant utilisation. Ne salez pas la préparation.

Salade crémeuse au chou-fleur
Suivez la recette de base, en remplaçant les choux vert et rouge par 140 g (4,5 oz) de chou-fleur, finement émincé.

Salade crémeuse aux brocolis et aux carottes
Suivez la recette de base, en remplaçant les choux vert et rouge par 225 g (7,5 oz) de brocolis et de carottes, finement émincés.

Variantes

Salade de pois chiches aux oignons

Recette de base p. 232

Salade de pois chiches aux pommes de terre
Suivez la recette de base, en remplaçant l'oignon par 2 pommes de terre moyennes, coupées en dés de 2,5 cm (1 po) de côté et dorées à la poêle.

Salade de pois chiches aux petits pois
Suivez la recette de base, en remplaçant l'oignon par 300 g (10 oz) de petits pois surgelés.

Salade de pois chiches au maïs
Suivez la recette de base, en remplaçant l'oignon par 300 g (10 oz) de maïs doux surgelé.

Variantes

Riz au cumin

Recette de base p. 233

Riz aux graines de fenouil
Suivez la recette de base, en remplaçant le cumin par 1 c. à s. de graines de fenouil.

Riz aux graines de sésame
Suivez la recette de base, en remplaçant le cumin par 1 c. à s. de graines de sésame.

Riz à la menthe
Suivez la recette de base, en remplaçant le cumin par 1 c. à s. de feuilles de menthe séchées.

Riz au safran
Suivez la recette de base, en remplaçant le cumin par 1 c. à t. de filaments de safran.

Riz au citron
Suivez la recette de base, en remplaçant le cumin par 1 c. à s. de zeste de citron râpé.

Variantes

Riz à la coriandre et à la menthe

Recette de base p. 235

Riz à la coriandre et au citron
Suivez la recette de base, en remplaçant la menthe par 2 c. à s. de zeste de citron râpé.

Riz à la menthe et au citron
Suivez la recette de base, en remplaçant la coriandre par 2 c. à s. de zeste de citron râpé.

Riz à la coriandre et à l'aneth
Suivez la recette de base, en remplaçant la menthe par de l'aneth frais.

Variantes

Pulao aux airelles et aux raisins

Recette de base p. 236

Pulao aux airelles et au maïs
Suivez la recette de base, en remplaçant les raisins secs par 140 g (4,5 oz) de maïs doux surgelé.

Pulao aux airelles et aux pruneaux
Suivez la recette de base, en remplaçant les raisins secs par 30 g (1 oz) de pruneaux, finement émincés.

Pulao aux airelles et aux amandes
Suivez la recette de base, en remplaçant les raisins secs par 30 g (⅓ tasse) d'amandes émondées.

Variantes

Riz à la tomate

Recette de base p. 238

Riz à la tomate, aux petits pois et aux carottes
Suivez la recette de base, en ajoutant à la préparation, en même temps que la tomate, 140 g (4,5 oz) de petits pois et de carottes surgelés.

Riz à la tomate et aux raisins secs
Suivez la recette de base, en ajoutant à la préparation, en même temps que la tomate, 30 g (1/4 tasse) de raisins secs.

Riz à la tomate et aux champignons
Suivez la recette de base, en ajoutant à la préparation, en même temps que la tomate, 140 g (4,5 oz) de champignons de Paris, finement émincés.

Variantes

Pulao au poulet

Recette de base p. 241

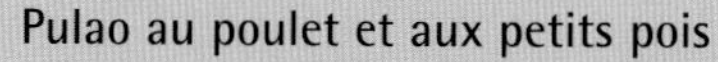

Pulao au poulet et aux petits pois
Suivez la recette de base, en agrémentant le riz de 140 g (4,5 oz) de petits pois.

Pulao au poulet et aux raisins secs
Suivez la recette de base, en ajoutant à la préparation 30 g (1/4 tasse) de raisins secs, en même temps que le poulet.

Pulao au poulet et aux pruneaux
Suivez la recette de base, en ajoutant à la préparation 30 g (1 oz) de pruneaux, en même temps que le poulet.

Variantes

Chilas

Recette de base p. 242

Chilas à la tomate
Suivez la recette de base, en agrémentant la pâte de 1 petite tomate, finement concassée.

Chilas à la menthe
Suivez la recette de base, en remplaçant la coriandre par des feuilles de menthe fraîche.

Chilas à l'aneth
Suivez la recette de base, en remplaçant la coriandre par de l'aneth frais.

Variantes

Dosas instantanés

Recette de base p. 244

Dosas à la courgette
Suivez la recette de base, en remplaçant la carotte par de la courgette râpée.

Dosas aux petits pois
Suivez la recette de base, en remplaçant la carotte par 90 g (3 oz) de petits pois surgelés.

Dosas au maïs
Suivez la recette de base, en remplaçant la carotte par 90 g (3 oz) de maïs doux surgelé.

Dosas à la pomme de terre
Suivez la recette de base, en remplaçant la carotte par autant de pomme de terre bouillie, râpée.

Dosas au radis
Suivez la recette de base, en remplaçant la carotte par autant de radis, finement râpé.

Dosas au chou
Suivez la recette de base, en remplaçant la carotte par autant de chou, finement émincé.

Chutneys et autres condiments

Très inventive, la cuisine indienne propose une incroyable variété de condiments pour accompagner les plats les plus divers. Raïtas, confits, kachumbers, chutneys… feront aussi de savoureuses trempettes ou des garnitures originales pour des sandwichs.

Kachumber

Pour 4 personnes

Le *kachumber* – mot indien signifiant littéralement « petits morceaux » – est un mélange de légumes frais coupés en petits dés et agrémentés d'épices. Accompagnez-le de yogourt, que les Indiens consomment généralement avec les currys. En effet, la douceur du yogourt atténue agréablement le caractère relevé des plats épicés.

140 g (4,5 oz) de concombre, finement émincé
140 g (4,5 oz) de tomates, concassées
85 g (3 oz) d'oignon, finement émincé
2 c. à s. de feuilles de coriandre fraîche, finement ciselées
1 piment jalapeño, non épépiné, finement émincé
¼ de c. à t. de piment rouge en poudre
¼ de c. à t. d'ail semoule
¼ de c. à t. de cumin en poudre
Sel, au goût
1 c. à s. d'huile d'olive
2 c. à s. de jus de citron frais

Dans un grand saladier, mélangez tous les ingrédients. Réservez 15 à 20 min au réfrigérateur, afin que les saveurs se fondent. Remuez de nouveau avant de servir. Attention, le kachumber se conserve mal et doit être consommé le jour même.

Voir variantes p. 274

Chutney d'oignon à l'ail

Pour 4 personnes

Le chutney est sans doute la préparation qui reflète le mieux toute la complexité aromatique caractérisant la cuisine indienne.

2 c. à s. d'huile
1 c. à t. de graines de cumin
1 c. à t. de graines de moutarde
2 c. à s. d'ail, finement haché
400 g (13,5 oz) d'oignons, finement émincés
2 c. à s. de sucre
½ c. à t. de piment rouge en poudre
Sel, au goût

Dans une poêle, faites chauffer l'huile et mettez-y les graines de cumin et de moutarde à revenir. Dès que le mélange commence à crépiter, ajoutez-y l'ail. Faites rissoler quelques instants, puis incorporez les oignons et le sucre.

Dès que l'oignon est tendre et doré, ajoutez le piment rouge, puis salez à votre convenance. Poursuivez la cuisson 5 min, puis sortez la casserole du feu et laissez refroidir. Servez frais ou à température ambiante. Cette préparation se conserve 1 semaine au réfrigérateur.

Voir variantes p. 275

Chutney de menthe

Pour 4 personnes

À l'origine, les chutneys constituaient le moyen idéal de recycler les restes. Aujourd'hui, ils sont préparés à la demande et consommés très rapidement.

140 g (4,5 oz) de feuilles de menthe fraîche, finement émincées
85 g (3 oz) de feuilles de coriandre fraîche, finement émincées
1 ou 2 piments verts, non épépinés, finement émincés
1 ou 2 gousses d'ail
Sel, au goût
1 c. à s. de jus de citron

Dans le bol d'un robot électrique, mixez tous les ingrédients jusqu'à obtention d'un ensemble homogène. Réservez 15 à 20 min au réfrigérateur. Servez très frais.

Voir variantes p. 276

Chutney de mangue

Pour 4 personnes

Ce chutney peut être préparé en grande quantité. Il se conserve au réfrigérateur 1 semaine dans des bocaux hermétiques. Il peut aussi être congelé.

2 belles mangues mûres, pelées, dénoyautées et coupées en dés
140 g (4,5 oz) de feuilles de menthe fraîche, finement émincées
½ c. à t. de piment rouge en poudre
1 c. à t. de sucre
Sel, au goût

Dans le bol d'un robot électrique, mixez tous les ingrédients jusqu'à obtention d'un ensemble homogène.

Voir variantes p. 277

Confit de tomates aux épices

Pour 4 personnes

Ce confit accompagne à merveille l'une des nombreuses variétés de pains indiens appelés *farathas*. Il s'associe aussi très bien à un simple plat de dals.

2 c. à s. d'huile
1 c. à t. de graines de cumin
1 c. à t. de graines de moutarde
7 ou 8 feuilles de curry fraîches
2 ou 3 gousses d'ail, finement émincées
1 oignon moyen, finement émincé
½ c. à t. de piment rouge en poudre
2 grosses tomates, concassées
Sel, au goût
Feuilles de coriandre fraîche, finement ciselées

Dans une poêle ou une casserole, faites chauffer l'huile et mettez-y les graines de cumin et de moutarde à revenir avec les feuilles de curry. Dès que le mélange commence à crépiter, ajoutez-y l'ail. Faites rissoler quelques instants, puis ajoutez l'oignon.

Dès que l'oignon est doré, incorporez le piment rouge et les tomates, puis salez à votre convenance. Poursuivez la cuisson à petit feu 15 à 20 min ; la tomate doit commencer à fondre. Mouillez avec un peu d'eau si la préparation se dessèche trop et accroche au fond de la poêle ou de la casserole.

Parsemez de coriandre fraîche ciselée. Cette préparation se conserve 3 jours au réfrigérateur.

Voir variantes p. 278

Chutney de tamarin

Pour 4 personnes

Fruit comestible du tamarinier, arbre originaire d'Asie, le tamarin est l'ingrédient de base de ce grand classique de la cuisine indienne. La manière de préparer ce chutney diffère selon les régions. Les Indiens du Sud l'apprécient relativement sucré, tandis que ceux du Nord préfèrent mettre en valeur le côté acidulé du tamarin.

140 g (4,5 oz) de pâte de tamarin
50 cl (2 tasses) d'eau
140 g (2/3 tasse) de sucre de palme (ou de cassonade)
1/2 c. à t. de piment rouge en poudre
1/4 de c. à t. de gingembre en poudre
Sel, au goût

Dans une casserole profonde, portez à ébullition la pâte de tamarin, l'eau et le sucre de palme (ou la cassonade).

Ajoutez-y le piment rouge et le gingembre, puis salez à votre convenance. Poursuivez la cuisson à feu moyen et à petits bouillons ; la sauce doit épaissir et napper le dos d'une cuillère.

Laissez refroidir à température ambiante. Transvasez le chutney dans un récipient hermétique, où il se conservera 1 semaine au réfrigérateur.

Voir variantes p. 279

Raïta

Pour 4 personnes

Les Indiens préparent le raïta avec des légumes et des épices très divers, mais c'est généralement la version au concombre qui remporte le plus grand succès. En effet, ce légume confère une certaine douceur au yogourt et contribue à la texture agréable de l'ensemble. Cette recette-ci est très facile à réaliser.

260 g (1 tasse) de yogourt nature, entier ou allégé
1 pincée de piment rouge en poudre
1 pincée de garam masala
2 c. à s. de feuilles de menthe fraîche, finement ciselées
Sel, au goût
140 g (4,5 oz) de concombre, râpé

Dans un grand saladier, mélangez tous les ingrédients, hormis le concombre, jusqu'à obtention d'un ensemble homogène. Incorporez-y délicatement le concombre râpé. Réservez au réfrigérateur et servez très frais.

Attention, le raïta ne se conserve que quelques heures.

Voir variantes p. 280

Trempette au yogourt et à l'ail

Pour 2 personnes

Les trempettes à base de yogourt perdent rapidement de leur fraîcheur. Il vaut donc mieux les consommer dans les heures suivant leur préparation.

140 g (1/2 tasse) de yogourt crémeux (type yogourt à la grecque)
1 gousse d'ail, râpée
1 pincée de piment rouge en poudre
1 pincée de cumin en poudre
1 pincée de menthe séchée
Sel, au goût
1 c. à s. de jus de citron frais

Dans le bol d'un robot électrique, mixez tous les ingrédients jusqu'à obtention d'un ensemble homogène. Réservez au réfrigérateur. Servez bien frais.

Voir variantes p. 281

Variantes

Kachumber

Recette de base p. 259

Kachumber à la menthe
Suivez la recette de base, en ajoutant au mélange d'épices 1 c. à s. de menthe séchée émiettée.

Kachumber à l'aneth
Suivez la recette de base, en ajoutant au mélange d'épices 2 c. à s. d'aneth, finement ciselé. Omettez la coriandre.

Kachumber au citron
Suivez la recette de base, en ajoutant au mélange d'épices 1 c. à s. de zeste de citron râpé.

Kachumber aux graines de fenouil
Suivez la recette de base, en ajoutant au mélange d'épices 1 c. à s. de graines de fenouil moulues.

Kachumber au poivre noir
Suivez la recette de base, en ajoutant au mélange d'épices 1 c. à s. de poivre noir moulu.

Variantes

Chutney d'oignon à l'ail

Recette de base p. 260

Naan au chutney d'oignon

Suivez la recette de base. Préchauffez le four à 340 °F (175 °C). Garnissez 1 naan nature d'une fine couche de chutney d'oignon et enfournez-le pour 8 à 10 min ; le naan doit être croustillant. Découpez-le en tranches et servez aussitôt.

Purée de pommes de terre au chutney d'oignon

Suivez la recette de base. Faites bouillir et écrasez 3 grosses pommes de terre. Incorporez le chutney à la purée et mélangez bien, jusqu'à obtention d'un mélange homogène.

Variantes

Chutney de menthe

Recette de base p. 263

Chutney de coriandre
Suivez la recette de base, en portant la quantité de coriandre fraîche à 260 g (8,5 oz) et en omettant la menthe.

Chutney de menthe à la tomate
Suivez la recette de base, en ajoutant 1 tomate aux ingrédients.

Chutney de coriandre à la tomate
Suivez la recette de base, en portant la quantité de coriandre fraîche à 260 g (8,5 oz), en omettant la menthe et en ajoutant 1 tomate aux ingrédients.

Variantes

Chutney de mangue

Recette de base p. 264

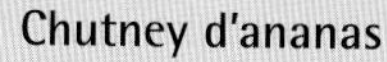

Chutney d'ananas
Suivez la recette de base, en remplaçant la mangue par 260 g (8,5 oz) d'ananas, coupé en dés.

Chutney de pêches
Suivez la recette de base, en remplaçant la mangue par 300 g (10 oz) de pêches, finement émincées.

Chutney d'abricots
Suivez la recette de base, en remplaçant la mangue par 300 g (10 oz) d'abricots, finement émincés.

Variantes

Confit de tomates aux épices

Recette de base p. 266

Naan au confit de tomates
Suivez la recette de base. Préchauffez le four à 340 °F (175 °C). Garnissez 1 naan nature d'une fine couche de confit de tomates aux épices, puis enfournez-le pour 8 à 10 min ; le naan doit être croustillant. Découpez-le en tranches et servez aussitôt.

Purée de pommes de terre au confit de tomates
Suivez la recette de base. Faites bouillir et écrasez 3 grosses pommes de terre. Incorporez le confit de tomates à la purée et mélangez bien, jusqu'à obtention d'un mélange homogène.

Variantes

Chutney de tamarin

Recette de base p. 269

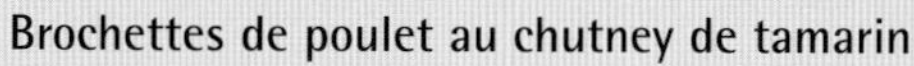

Brochettes de poulet au chutney de tamarin
Suivez la recette de base. Découpez 2 blancs de poulet en dés de 2,5 cm (1 po) de côté. Faites-les mariner dans le chutney 30 min environ. Chauffez à blanc une poêle-gril légèrement huilée et mettez-y la viande à revenir, en remuant régulièrement afin que les morceaux soient uniformément dorés.

Brochettes de paneer au chutney de tamarin
Suivez la recette de base. Découpez 450 g (1 lb) de paneer en dés de 2,5 cm (1 po). Faites-les mariner dans le chutney 30 min environ. Chauffez à blanc une poêle-gril légèrement huilée et mettez-y le fromage à revenir, en remuant régulièrement afin qu'il soit uniformément doré.

Brochettes de crevettes au chutney de tamarin
Suivez la recette de base. Décortiquez et nettoyez 900 g (2 lb) de crevettes roses. Faites-les mariner dans le chutney 30 min environ. Chauffez à blanc une poêle-gril légèrement huilée et mettez-y les crevettes à revenir, en les retournant régulièrement afin qu'elles soient uniformément dorées.

Variantes

Raïta

Recette de base p. 270

Raïta de betterave
Suivez la recette de base, en remplaçant le concombre par autant de betterave.

Raïta de pomme de terre
Suivez la recette de base, en remplaçant le concombre par autant de pomme de terre bouillie, râpée.

Raïta de carotte
Suivez la recette de base, en remplaçant le concombre par autant de carotte.

Raïta de courgette
Suivez la recette de base, en remplaçant le concombre par autant de courgette.

Raïta de mangue
Suivez la recette de base, en remplaçant le concombre par autant de mangue, finement émincée.

Variantes

Trempette au yogourt et à l'ail

Recette de base p. 273

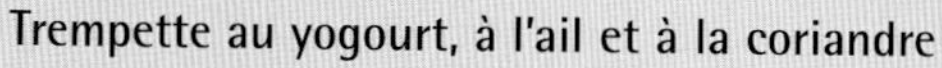

Trempette au yogourt, à l'ail et à la coriandre
Suivez la recette de base, en remplaçant la menthe séchée par 2 c. à s. de feuilles de coriandre fraîche, finement ciselées.

Trempette au yogourt, à l'ail et à l'aneth
Suivez la recette de base, en remplaçant la menthe séchée par 2 c. à s. de feuilles d'aneth frais, finement ciselées.

Trempette au yogourt, à l'ail et aux graines de fenouil
Suivez la recette de base, en remplaçant la menthe séchée par 1 c. à s. de graines de fenouil moulues.

Index